MAJYOE NO MONOGATARI

魔女絵の物語

魔女をめぐる図像の歴史と変遷

アリックス・パレ 著

冨田 章 翻訳・監修

釜とまじない、
魔法の薬。
道具は全部
揃えておおき

ウィリアム・シェイクスピア
『マクベス』
（1606年、第3幕、第5場）

Les sorcières dans l'art
美術の中の魔女たち

やさしい？　それとも意地悪？

ある時は恐ろしく、ある時は感じがいい。西欧文化において魔女は、決して無視できない存在です。とはいえ魔女は、いつも黒ずくめの服装で、帽子を被り、箒を手にしたわかりやすい格好をしているわけではありません。

最初の箒

たとえ古代には呪術が当たり前のように行われていたとしても、「魔術」は中世末期の発明品でした。14世紀と15世紀には、黒死病（ペスト）の流行、百年戦争、教会分裂（シスマ）、自然災害など、大きな災厄が続き、すべての悪をもたらす邪悪な一団の存在が信じられるようになります。魔術師がはじめて裁判にかけられた頃、写本装飾師たちは、サバト（魔女の集会）に出るために箒に乗って飛んでいく魔女の姿を想像力豊かに表現しました。彼らが挿絵を描いた口承物語は、悪魔崇拝と結びついた異教神話にあふれていたのです。

魔女の描かれ方とは？

ルネサンス以降、魔女には2通りの図像が共存していました。若く官能的でこの上なく魅惑的な魔女と、ぼさぼさの髪で垂れさがった乳房をした穏やかならざる知識をもつ醜悪な老女。かたや裸で邪淫を誘い、一方は農民のような服装をしています。魔女裁判にかけられるのは、しばしば農村の出身者であったり、貧しく、孤立した人々でした。有罪判決が増加するにつれ（大規模な魔女狩りが行われたのは1580年から1670年にかけてのこと）、魔女の図像も定まっていき、1565年頃にブリューゲル（父、p.24）の版画が流布したことで、伝統的な魔女の道具も固定化されます。大鍋、魔術の本、箒、頭蓋骨、コウモリ、猫、ヒキガエル…… 17世紀には、魔女やサバトに向かう場面などを専門とする画家も登場しました。

黒装束

18世紀末より以前の魔女は黒い服を着ていない。黒が喪服の色となるのはこの時代のこと。黒い動物に対する中世以来の不信感は、16世紀から18世紀にかけて増大し、黒猫や黒いロバ、黒い牝鶏、黒い牡山羊などが悪魔と結びつけられた。

女性特有の病気？

近代に入り医学が進歩するにつれて、医師たちは精神的な境界線上にいる女たちを、魔女と見なすのではなく、治療や監禁することが必要な病人と見なすようになる。17世紀と18世紀には、てんかんやヒステリーに医学的な関心が寄せられるようになった。女性特有の病気と考えられていたヒステリーの治療は、19世紀に「黄金時代」を迎えることになる。

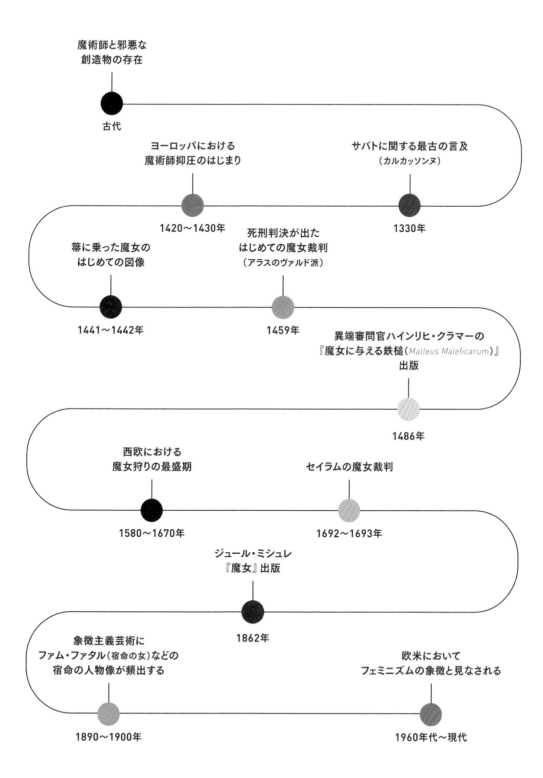

魔術師と邪悪な
創造物の存在

古代

ヨーロッパにおける
魔術師抑圧のはじまり

1420〜1430年

サバトに関する最古の言及
（カルカッソンヌ）

1330年

箒に乗った魔女の
はじめての図像

1441〜1442年

死刑判決が出た
はじめての魔女裁判
（アラスのヴァルド派）

1459年

異端審問官ハインリヒ・クラマーの
『魔女に与える鉄槌（*Malleus Maleficarum*）』
出版

1486年

西欧における
魔女狩りの最盛期

1580〜1670年

セイラムの魔女裁判

1692〜1693年

ジュール・ミシュレ
『魔女』出版

1862年

象徴主義芸術に
ファム・ファタル（宿命の女）などの
宿命の人物像が頻出する

1890〜1900年

欧米において
フェミニズムの象徴と見なされる

1960年代〜現代

> 「彼女は、コインで左の掌に十字を書くよう言った。
> そして魔法の儀式が始まった……」

プロスパー・メリメ『カルメン』（1845年）

「サバト」という語の由来

悪魔を囲む魔女たちの集会を「サバト」というが、この語は「シナゴーグ」（ユダヤ教会堂もしくは集会所）の別名でもある。15世紀、魔術を使うとして非難されていたユダヤ人に重ねあわせて、魔女は異教徒と見なされた。魔女の図像に帽子や鉤鼻（かぎばな）が描かれるようになったのは、反ユダヤ主義が魔女の伝説と混じりあった結果だった。

アブラカダブラ！

病気から身を守るためのこのおまじないの言葉は、ヘブライ語に起源がある。「全能の神よ、四大元素（火、空気、水、土）を鎮めたまえ」という意味で、ギリシア語やラテン語の医学書に書かれており、非科学的な経験医学や魔術とも関連があった。

再発見と再解釈

18世紀になると火刑は行われなくなりました。この啓蒙の世紀には、合理主義に基づいて法制度が整備され、嫌われ者の魔女たちは迷信の類と考えられるようになります。魔女の図像も少なくなりました。これを再発見したのはロマン主義の芸術家たちで、彼らは歴史的というよりは文学的、詩的なアプローチで魔女のテーマに取り組んだのです。そのきっかけとなったのはシェイクスピアとゲーテの文学作品でした。1830年代には、魔法書を抱えて森の中で孤独に暮らす老女というロマン主義時代の魔女像を、絵画やヴィクトル・ユゴーをはじめとする文学、1832年のバレエ『シルフィード』に代表される舞踊など、あらゆる分野で見ることができます。同じ頃、グリム兄弟がドイツで採集した物語集の翻訳が出版されて大成功を収めました。ファム・ファタルや毒婦の妄想に取り憑かれた象徴主義の領域では、魔女はいたるところに現れます。最盛期は1890年から1900年にかけての世紀末で、この主題は絵画、版画、挿絵などに数えきれないほど頻出しました。そうした作品では、エロティシズムと病的な性質が、頽廃的美学の中で融合されているのです。

魔女が最も愛された時代

20世紀に入っても芸術家や文学者、精神分析家らによって魔女はさまざまに解釈され、その図像は常に更新されて豊かになっていきました。この時期以降は、芸術家の数だけ魔女が存在すると言っても過言ではありません。1960年代以降、西欧を席巻したフェミニズム運動は、この父祖伝来の魔女像から幻想性を一掃して再生させます。魔女は家父長制社会が恐れる女権拡張闘争のシンボルとなったのです。数多くの芸術家たちが、作品を通じてこの戦いを引き継いでいます。大衆文化、映画、文学、ジャーナリズムなどの分野で、おそらく21世紀初頭ほど魔女が愛されたことはないでしょう。

《小さな魔女》
J. H. ブラウン『スペクトロピア（Spectropia）』
第13葉
1864年に出版された錯視に関する本
大英図書館、ロンドン

Repères géographiques
魔女狩りの地理的分布

悲惨な実例

1 **1391年**
ジャンヌ・ド・ブリグ
通称コルドリエ
（フランス、パリ）
パリ高等法院において
はじめて魔女と審判された

2 **1662年**
イゾベル・ゴーディ
（スコットランド、オールデン）
魔女の所業を細部に
わたって告白したことで
知られる

3 **1675年**
バルバラ・コラー
（ドイツ【当時】、ザルツブルク）
150人が告発された
ザルツブルク魔女裁判の
最初の犠牲者

4 **1680年**
カトリーヌ・デエー
通称ラ・ヴォワザン
（フランス、パリ）
数々の毒殺事件に
連座した毒殺魔

5 **1692〜1693年**
20名の犠牲者
（アメリカ、セイラム）
北アメリカ史上、
最も重大な魔女狩りが
行われた

魔術への弾圧
中世から近代まで

● **過酷な取り締まりが
行われた国々**
ベルギー、オランダ、
フランス、スイス、ドイツ、
イギリス（特にスコットランド）、
スウェーデン、バスク地方、
アメリカ

● **比較的取り締まりが
少なかった国々**
イタリア、スロヴェニア、
スペイン、ポーランド、
ロシア、フィンランド、
アイルランド、ノルウェー、
デンマーク、アイスランド

世界の魔女

キルケー
古代ギリシア
（P.16）

バーバ・ヤーガ
ロシア
（P.90）

セイラムの魔女
アメリカ
（P.40）

瀧夜叉姫
日本
（P.76）

マクベスの魔女
イギリス
（P.30及びP.38）

Attributs de la sorcière
魔女のアトリビュート

西欧社会の俗説では

魔女の主要なアトリビュート（持物）は箒でした

夜が更けると、とんがり帽子を被った魔女たちが、湯気の立つ大鍋のまわりで行われる集会に参加するため、箒にまたがって飛んでいきます。初期の魔女表現には見られませんが、中世以降、魔女に関連する小道具が少しずつ登場しはじめるのです。

魅力的、それとも嫌悪を起こさせる？

伝統的に2種類の魔女がいる。皺が寄り、醜悪で恐ろしく、乳房が垂れてぼさぼさの髪をした老女と、赤い髪（巻き毛であることが多い）の官能的な若い誘惑者だ。

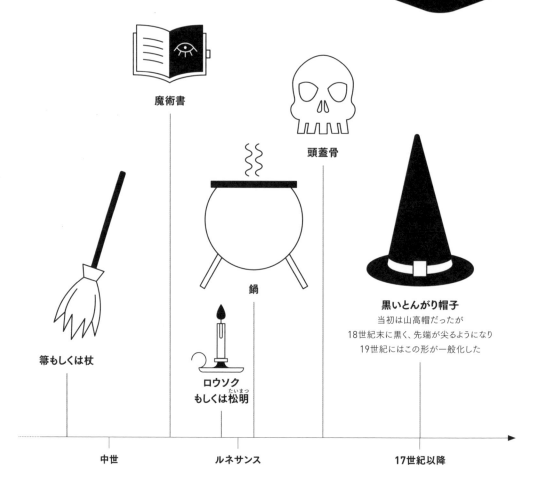

魔術書

頭蓋骨

鍋

黒いとんがり帽子
当初は山高帽だったが
18世紀末に黒く、先端が尖るようになり
19世紀にはこの形が一般化した

箒もしくは杖

ロウソク
もしくは松明

中世　　　　　ルネサンス　　　　　17世紀以降

Animaux de compagnie
取り巻きの動物

魔女は過酷な自然と強く結びついています

魔女たちは森の中で暮らし、植物の秘密を知っており、動物と意思を通じあわせることができます。地を這い、死体を食べ、夜目が効く、最も恐ろしい動物たちが魔女を取り巻いています。それらは魔女の相棒であると同時に、危険な毒薬の成分にもなりました。

仲間

女性の強さは昔から野生動物と関連づけられてきた。10世紀のドイツの伝説が語るところによれば、女たちは、月と狩りと動物の女神ディアナとともに、動物の背に乗って夜空を飛んだという。

牡山羊
悪魔の象徴

ヘビまたはトカゲ
死の象徴

黒猫
残忍さと
性欲（性）の象徴

カラス
死の象徴

ハイブリッドな
動物と怪物

フクロウ
夜と死を告げる鳥

コウモリ
夜と残忍さの象徴

Ulysse et Circé
《オデュッセウスとキルケー》
紀元前470〜460年頃

女魔術師
....

キルケーは、ホメロスの『オデュッセイア』の中で最も魅力的な登場人物のひとりです。オデュッセウスの一行がアイアイエー島に上陸した時、この美しい女魔術師が乗組員たちに媚薬を飲ませ、豚に変えてしまいます。しかし、われらが英雄オデュッセウスは、ヘルメスの助けを借りて変身を免れるのです。

人物が描かれたこの赤絵式の壺はオイノコエと呼ばれます。クラテールという酒杯にワインを注ぐピッチャーのことで、クラテールの中に先に水を入れておいてワインを割るのです。魔術師で太陽神ヘリオスの娘のキルケーは横顔で表され、自分のアトリビュートである細い棒と杯を手にしています。しばしば裸体で表されることもあるキルケーですが、ここでは長いチュニック（シトン）とドレープのついたマント（ヒマティオン）を身につけており、壺の反対側には、威嚇するかのように槍と剣を構えたオデュッセウスが描かれています。この壺絵は『オデュッセイア』の中で、ヘルメスがオデュッセウスに語りかける次の言葉に対応しています。「キルケーが手にした細い棒でおまえに触れると、おまえはいきなり傍らの剣をつかみ、キルケーに襲いかかる」（第10詩篇）。

キルケーは古代ギリシアにおいて最も名の知られた魔術師のひとりでした。その美貌と強い呪詛の力によって恐れられるキルケーは、男の弱さと、逆にその男らしさにつけ込むのです。彼女はオデュッセウスの仲間たちの姿を変えてしまいますが、最後は彼らを元の人間の姿に戻します。またキルケーはオデュッセウスが彼女を愛するように仕向け、一年をともに過ごし、息子テレゴノスをもうけました。別の伝説によれば、彼らには何人かの子が生まれたとされます。

キルケーは古代ギリシアに留まりません。ローマ時代には、詩人オウィディウスが『変身物語』の中に登場させ、キルケーが扱う植物や呪文について触れています。中世には写本に描かれ、その後ルネサンスから20世紀にかけては数多くの作品に表現されました。プリマティッチオやブリューゲル（父）、グエルチーノ（p.62）、ウォーターハウス（p.42）、シュトゥック（p.92）らの作品があります。

《オデュッセウスとキルケー》
ブリュッセルのオイノコエの画家に帰属
紀元前470〜460年頃
粘土
ルーヴル美術館、パリ

Adoration du bouc
《牡山羊の礼拝》
1470～1480年

それより30年ほど前のこと……

1440年頃、マルタン・ル・フランの『貴婦人の擁護者』の余白にふたりの魔女が登場した。彼女たちは箒あるいは杖にまたがっており、そこに「ヴァルド派」と明記されていた。西欧における伝統的な魔女像の誕生だった。

宗教裁判所

13世紀のフランスで、異端者たちと闘うために創設されたカトリックの裁判所のこと。ヨーロッパのほかの国にも広まったが、フランスでは14世紀以降に行われなくなる。スペインでのみ19世紀まで行われていた。宗教裁判所は魔女への関心を急速に失っていき、しばしばより残酷な世俗の裁判所によって魔女の告発が行われるようになっていく。

《牡山羊の礼拝》あるいは《サバトの情景》
マルゲリート・ド・ヨーク
ジャン・ティンクトール『ヴァルド派の罪について』の挿絵
1470～1480年
羊皮紙に彩色
フランス国立図書館、パリ

魔女の誕生

中世末期に描かれたこの写本は、サバトを表した最初期の例のひとつです。箒にまたがった魔女たちが宙を舞っています。

街から離れた場所に、夜、ロウソクの薄灯りを囲んで悪魔の崇拝者たちが集い、牡山羊の後ろに跪き、その肛門にキスをする場面です。神秘の子羊への礼拝の悪魔的なパロディであるこの儀式を、箒にまたがる魔女や、別の異端者たちを運ぶ悪魔が空から見おろしています。

この細密画は、1470年頃に神学者のジャン・ティンクトールによって書かれた『ヴァルド派の罪について(Traité du crime de vauderie)』の唯一の挿絵です。この本は有名なアラースのヴァルド派の裁判を参考にしていました。これは魔術に関する最初の裁判で、最初の「魔女」はヴァルド派であったとされます。アルプス地方やフランドル地方で福音書的清貧を実践していたヴァルド派のメンバーたちは、教皇から異端であると宣告されました。そして1460年、全部で15人ほどの男女が、悪魔と契約を交わしたとして告発されたのです。拷問された彼らは、行ってもいないサバトに参加したと自白させられました。彼らはそこで悪魔を賛美し、神や聖母、聖三位一体を呪い、十字架を踏みつけ、黒ミサを行い、聖体をヒキガエルに与え、乱痴気騒ぎに興じ、また、秘密の場所で杖に乗って舞い、儀式を行ったと言うのです。被疑者たちが、こうした行為を思いついたわけではありません。自白することで火刑から逃れられるかもしれないと空しい希望を抱いて、異端裁判所判事による信じられないような質問を認めただけでした。結果的に判事たちは、このようにして異教神話を悪魔への畏怖と結びつけ、古代の想像力の産物である魔女を喧伝する役割を担うようになります。

マルゲリート・ド・ヨークの画家は、この絵で魔女（女の魔術師）よりも男の魔術師に重点を置いています。私たちは歴史のはじまりに立ち会っているのです。男の魔術師像はルネサンスになると徐々に少なくなっていき、被害妄想の対象はイヴの子孫であり、か弱いと考えられ、移り気で男を惑わす存在である女に集中されていきました。魔女狩りがはじまろうとしていたのです！

Ar leuue du dyable
la mort print entre
ou monde . Et ce le
enfuuuent ceulx qui tiennent fo

La Sorcière

《魔女》

1500年頃

雹、それとも隕石?

1492年、デューラーはエンシスハイム隕石の落下を目撃し、この現象を有名な版画作品《メランコリア》(1514年)の中に描き込んだ。当時、隕石は説明がつかないものであり、しばしば予兆や魔術的な現象とされていた。

高齢の女たち

かつて女たちは父親の、ついで夫の監督下に置かれていて、寡婦になる以外に独立することはできなかった。男たちは高齢の女たちの自由なふるまいと、多くの場合は経験によって蓄積された知恵におびえ、そうした老女たちの中に油断ならないものを嗅ぎ取った。こうして彼女たちは、魔女狩りの格好の餌食となったのだった。

《魔女》
アルブレヒト・デューラー
1500年頃
銅版画
ウフィッツイ美術館、フィレンツェ

奇怪な騎手

髪を振り乱した魔女が、牡山羊の背に後ろ向きに乗って地上を飛んでいきます。彼女のぞっとするような醜悪さ、裸でふしだらな様子は、当時の人々が魔女に対して抱いていたイメージそのものです。

この魔女は、干からびた乳房の前に糸巻きと糸巻き棒を持っています。女らしさを表すこの古代のシンボルは、ゲルマン民族の女神ペルヒタのアトリビュートであり、また死を司る女神パルカが手にしているものでもあります。このローマの女神は、人の限りある命の糸を巻き戻したり切ったりするのです。画面左上方からは、雹まじりの激しい雨が降りかかっていますが、当時、魔女は収穫高を左右する天文現象を操る存在でもあると考えられていました。

魔女が乗っている山羊についてはひとつの疑問があります。これは本当に悪魔の、あるいは山羊座のシンボルである牡山羊なのでしょうか? 牡山羊はまた、サトゥルヌスや農業、冬至などとも関係がある多元的なシンボルです。それともこれは牝山羊で、その背に裸で乗るのは、性愛と結びつけられる女神アフロディーテ・パンデモスなのでしょうか?

地面では、4人のプットーが棒を手に体を捻り、円環をなす構図の中央に何もない空間を作り出しています。その内のひとりが肩に抱える刈り込まれた植木は、しばしば人間による自然の支配を象徴します。別のひとりは穴の開いた球体を担いでいますが、これは変化の図像と同一視されました。全体の解釈は未解決のままです。彼らは四季を表すのか、基本方位である東西南北それとも四大元素(火、空気、水、土)を表すのか。そして彼らが地上世界を象徴し、魔女が重力の法則を免れた存在であることを表しているのでしょうか?

ドイツ・ルネサンスを代表する巨匠で、最初の魔女狩りが行われたのと同時代を生きたアルブレヒト・デューラーは、深い学識を感じさせる優れた版画作家でもありましたが、彼の作品は解釈のヒントをすべて与えてくれているわけではありません。

Deux sorcières
《ふたりの魔女》
1523年頃

好まれた主題

バルドゥング・グリーンは絵画や版画で魔女をよく取りあげたが、往々にしてそのスタイルは非常に明瞭だった。大鍋のまわりに牡山羊に乗った魔女（デューラーも同じモチーフを描いた。p.21）らが集う、伝統的なサバトの情景から、より淫らな情景にいたるまで、バルドゥング・グリーンは醜悪さとエロティシズムを巧みに混ぜあわせて描いている。

『魔女に与える鉄槌』

『魔女に与える鉄槌』という本が1486年に出版されるが、それはバルドゥング・グリーンが暮らしていたストラスブルクでのことだった。ドミニコ会の修道士だったハインリヒ・クラーマーとヤーコプ・シュプレンガーによって書かれた本書は、いかにして魔女を見分け、捕まえ、殺すかを説く、魔女狩りのマニュアル本だ。版を重ねてベストセラーとなった。

《ふたりの魔女》
ハンス・バルドゥング・グリーン
1523年頃
ミクスト・メディア、板
シュテーデル美術館、フランクフルト

魅力的な魔女？

このふたりの裸の女は、背景を覆いつくすほどのもうもうたるオレンジ色の煙に恐れる様子はまったくありません。一方で彼女たちの足元には、牡山羊がおびえて横たわっています。

ハンス・バルドゥング・グリーンは、ドイツ・ルネサンスの代表的な画家、版画家です。彼は人文主義者にして芸術家、学者でした。その作品は洗練されており、官能的でもあります。また、象徴と引用に満ちており、本作《ふたりの魔女》も十分に謎めいていると言えるでしょう。

20世紀初頭まで、この絵は聖愛と俗愛のアレゴリー（寓意）であると考えられてきました。1900年頃、美術史家たちはバルドゥング・グリーンが魔女に関心をもっていたことを知り、15世紀における初期の魔女狩りの歴史的文脈からこの絵を解釈する方向に向かいはじめます。ふたりの女は、火事のように朱に染まった空の原因を作った「突撃隊員」なのでしょうか？　悪魔の象徴である牡山羊が地面にうずくまっています。悪魔は当時、すべての災厄の元凶とされていました。右の女が持つガラスの小瓶に囚われているのは、小さなドラゴンです。悪の象徴であり、また水銀の象徴ともされます。水銀は、中世末期にはありふれた病気だった梅毒の治療に薬として使われました。性行為を通じて感染する梅毒の治療薬であったことから、水銀だとすれば、それは女たちの蠱惑的な様子や、愛の松明を掲げるキューピッドと関連があることになります。

本作は蒐集家の陳列室に秘蔵されてきたものでしょう。魔女や神話についてだけでなく、絵画そのものについての議論の出発点となるべき作品です。真珠のように輝く肉体をもつこのふたりの裸の女の表現は特別に質が高いもので、彼女らの複雑なポーズからは、人体の短縮法や捻れた身体の描写法を学ぶことができます。同時代を生きた天才画家デューラーに続いてバルドゥング・グリーンは、独創的な美術を発展させたのです。その秘密はいまだすべてが明らかとなっているわけではありません。

Margot la Folle
《狂女フリート》
1563年

《狂女フリート》
ピーテル・ブリューゲル（父）
1563年
油彩、板
マイヤー・ファン・デン・ベルク美術館、
アントウェルペン

走る狂女

16世紀には女性、特に田舎から出てきた老女は恐ろしい存在でした。このイメージは、都会人で学識があり、農村社会や社会の周縁にいる人々に魅了されていた、ピーテル・ブリューゲル（父）のような画家の手になる版画や絵画によって拡散されます。

《狂女フリート》は、フランドルの民間伝承に出てくる気難しい女です。巨大なこの老女は明らかに何らかのアレゴリーでしょう。ヒエロニムス・ボスの世界を彷彿とさせるこの驚くべき絵画は、暴力的で淫らな細部描写に満ちています。おそらく風刺詩あるいはフランドルの諺と関連があるのでしょう。

火事を背景にした悪夢のような風景の中を、狂女フリートが取り乱した様子で貴重品を抱えて逃げ出すところのようです。長いローブの上に鎧をつけて兜を被ったフリートは、農婦にも兵士にも見えます。右手に剣を持ち、争いと略奪の場から離れようとしているのでしょうか？　幻覚にとらえられた狂女は、地獄の口に向かってまっすぐに進んでいきます。それは人の顔を模した銃眼のある塔で、飛び出るような目をして鼻にはピアスをしています。その背後では、甲冑に身を固めた兵士の一団が、怒れる農婦たちに向かって進んでいくところです。農婦たちはあばら屋を略奪し、怪物たちを縛りつけ、女の格好をして屋根の上にすわる男が自分の尻からスプーンで掻き出す黒い物体を集めています。これは戦争の狂気のアレゴリーなのでしょうか？　あるいは吝嗇（りんしょく）やほかの重大な罪の、それとも女性に権力を与えることを批判するアレゴリーなのでしょうか？

ブリューゲル（父）は、カトリックとプロテスタントの戦争で混乱した時代を生きました。異端者狩りはますます重要なものとなりつつあり、並行して魔女への弾圧も盛んに行われた時代です。医学的な、あるいは神学的な言説に染み込んだミソジニー（女嫌い）は、ネガティブな女性像を生み出す要因となりました。貧しく、年老いて、孤独な農婦は警戒されたのです。《狂女フリート》から魔女までは、ほんのわずかな違いしかありませんでした。

「うぬぼれの花開けば災いの実のみのり、
　そこに恐ろしき苦悩の取入れを刈り取るのが
　習いであるからな」

アイスキュロス「ペルシア人」（紀元前472年）

Départ pour le sabbat
《サバトへの出発》
1630年頃

煙突を通って

ヨーロッパ北部で魔女狩りがたけなわだった頃、この主題を専門にする画家もいました。サバトやその支度の様子に想を得て、エロティシズムで味つけをした空想的情景が描かれたのです。

細々とした三日月の光が田園を照らす夜、黒いマントを着た老女が、魔女たちの集う家に入ってきます。そこにいるのは想像上の動物にまたがる男、宙を飛ぶコウモリやヘビ、顔をしかめた怪物たち。彼らの表情は、1世紀ほど前に活躍した天才画家ヒエロニムス・ボスが作り出した怪物たちを思い起こさせずにはおきません。ダヴィッド・テニールス(子)はこの絵で、魔術について当時の人々の想像力が作り出したあらゆる要素を繰り広げて見せます。

ロウソクのほのかな灯りの中で、魔女たちがサバトに出かける準備をしているところです。前景の地べたに置かれた頭蓋骨の傍らで、読書をしていた老女が顔をあげます。隣には角が生えた鉤爪の怪物。老女の背後では、若い裸の魔女が、煙突を通って飛び立つ準備をしています。その傍らにいる魔術書を手にした女は、大鍋で作った魔法の軟膏をこの若い魔女の体に塗りおえたところです。この軟膏は、長距離を猛スピードで飛ぶ能力を与えてくれます。彼女は箒にまたがり、サバトが開かれる秘密の場所へと飛び立っていくのです。この悪魔との会合では、神と聖母は憎悪の対象となり、ミサはあべこべに行われ、最後の大宴会の前には、乳飲み児が犠牲として捧げられます。

テニールス(子)は、同時代に活躍したフランス・フランケン(子)と同じく、魔女の情景のスペシャリストです。ふたりの出身地であるアントウェルペンはカトリックの地域で、改革派(プロテスタント)のオランダと隣接していました。宗教戦争の暴力的な世相も相まって、この地域では異端者への恐怖から魔女狩りが飛躍的に発展します。魔女は内なる敵となり、悪魔と結託してキリスト教社会に悪の組織を作ったとされたのです。

箒を!

箒(召使いの象徴であると同時に男根の象徴でもある)は、必ずしも魔女の唯一の乗り物というわけではない。古代の文献や作品には、ただの棒切れに乗ったり、牡山羊のような実在の動物や、恐ろしい異端者の記憶を重ねたハイブリッドな動物に乗る魔女たちが登場する。

魔女狩りの歴史

1420〜1430年	● ヨーロッパにおける魔術弾圧のはじまり
1484年	● 魔女に対するインノケンティウス8世の回勅
1486年	● 『魔女に与える鉄槌』の出版
1580〜1670年	● 魔女狩りの最盛期
1682年	● フランスにおいて証拠なしに魔術を告発することができなくなる
18世紀	● ヨーロッパで魔女狩りがおわる

「サタンが愛した者の何という力であろうか、
　癒し、予言し、見抜き、死者の魂を呼び覚まし、
　呪いをかける……」

ジュール・ミシュレ『魔女』（1862年）

《サバトへの出発》
ダヴィッド・テニールス（子）
1630年頃
油彩、カンヴァス
聖十字架美術館、ポワティエ

Les Trois Sorcières
《3人の魔女》
1783年

「自然なんてくそくらえ」

芸術家であり、また知識人でもあったフュースリは、ブレイク（p.72）と同じように、現実を模倣することを軽蔑していた。彼が好んだのは、夢や悪夢に満ちた雰囲気であり、陰鬱で幻想的な詩だった。彼は言う。「せっかくの効果を台なしにする、自然なんてくそくらえだ」。

『マクベス』に想を得た作品

恐ろしい横顔

黒い背景に3つの横顔が並ぶ、ヨハン・ハインリヒ・フュースリの《3人の魔女》は、イギリス・ロマン主義のシンボルと言ってもよい作品です。彼女たちは、人々を怖がらせるために夜の闇から現れたかのように見えます。

これはウィリアム・シェイクスピアの戯曲『マクベス』に登場する3人の魔女です。ひどく「しなびて」、たいそう「すさまじいなり」の3人は「ひび割れた指を薄い唇に当て」ています。フュースリはこの不吉な三姉妹の図像を描くにあたって、シェイクスピアの文章（第1幕、第3場）を正確に再現しました。くすんだ頭巾の下、予言者たちはおとぎばなしに出てくる年老いた魔法使いさながら、鉤鼻と狂気の眼差しをのぞかせています。その顔はまるで男のようです。彼女たちの頬と顎には白い毛が生えていますが、それは「お前たち、女のようだが髭を生やしているところを見るとそうとも言えない」という原文に忠実です。魔女たちは、彼女たちが運命を知る者たちの方を指差しています。

これは戯曲の中で、2度目に魔女たちが登場する場面です。魔女たちは荒野で、マクベスの人生を大きく揺るがすことになる予言を、今まさに発しようとしています。フュースリはシェイクスピアの戯曲に夢中でした。若い頃に英語からドイツ語に翻訳したこともあります。イギリスに魅せられ、ロンドンに移住して、かなりの成功を収めた彼は、シェイクスピア・ギャラリーを創設した編集者のボイデルに協力し、シェイクスピア劇の上演を助けました。深い闇と強烈な光を対比させるシンプルでドラマティックなフュースリの作品は、演劇の照明効果を思い起こさせます。

フュースリは、マクベス総督と友人バンクォの前で、正面を向いたりしゃがんだりしている3人の魔女たちの姿を数多くデッサンしています。当時『マクベス』は『ロミオとジュリエット』よりもずっと多く上演されていました。1780年代のロンドンには、いたるところにシェイクスピアがいたのです。

「何だ、あれは？
　あんなにしなびてすさまじいなりをして」

ウィリアム・シェイクスピア『マクベス』（1606年、第1幕、第3場）

《3人の魔女》
ヨハン・ハインリヒ・フュースリ
1783年
油彩、カンヴァス
チューリヒ美術館、チューリヒ

Le Sabbat des sorcières
《魔女たちのサバト》
1797〜1798年

牡山羊

中世以降、牡山羊は悪魔と結びつけられ、魔女が乗る動物となった。牡山羊は性的渇望を具現化した存在（異教崇拝における性的放縦さの残滓（ざんし））であり、その攻撃的な振る舞いや暗い毛色、ことに長く尖った角などのために忌むべきものとされた。その対極にあったのが、穏やかで白く、角のない子羊だった。

バスクの魔女たち

スペインでは、いわゆる魔女に対して裁判所は寛大だったが、バスク地方のみが魔女を火刑に処した。それは1609年、ナヴァーラ王国のログローニョで行われた裁判でのこと。すべてはズガラムルディの近くにある洞窟でサバトが行われるという密告からはじまった。数千人の容疑者が告発され、ヨーロッパ最大の魔女裁判となった。

牡山羊のまわりで

月明かりの下、大きな牡山羊姿の悪魔が取り仕切るサバトが行われているところです。空にはコウモリが飛び、悪魔のまわりを魔女たちが取り囲み、生贄の乳飲み児を差し出しています。

人間のような格好ですわる黒く大きな牡山羊は、両前脚をオーケストラの指揮者のようにあげています。大きな角を飾るのは葡萄の葉でしょう。悪魔を取り囲むのは、醜く、歯の抜けた老魔女たち。乱れた髪とむき出しの肩は、彼女たちの堕落した品性を強調しています。牡山羊は、ガリガリに痩せた生贄の新生児たちを受け取るところで、地面に置かれた子もいれば、棒に吊された子もいます。立ちあがったひとりの魔女が牡山羊の方に近寄り、バラ色の肌をして丸々と太ったまだ生きている乳飲み児を差し出しています。中世には、悪魔はサバトの際に生贄の幼児をむさぼり食うと信じられていました。魔女たちはその皮を使って、空を飛ぶことができる軟膏を作るのです。

18世紀末、魔女狩りはもはや忌まわしい記憶でしかありませんでした。しかし、人間の精神の闇と狂気に魅せられたフランシスコ・デ・ゴヤは、恐ろしい魔女狩りについてよく知っていました。また、スペイン人として、バスク地方で行われた裁判についての知識もありました。当時、宗教裁判所は、新興の異教がまだ根強く残っていたこの地域から魔術を根絶やしにすると決めていたのです。このおぞましい場面を描いた本作は、最初「エル・アケラーレ」という題名でした。バスク語の「アケラーレ」が語源で、「牡山羊の地」を意味する地名です。バスクの神話によれば、そこで魔女たちの集会が行われます。その中心には、不吉な地下神で牡山羊に似たアケールがいました。

ゴヤは20年後に、自邸の装飾として漆喰壁の上に縦長で大きな牡山羊を描きました。それはオスナ公爵のために描かれたこの小さな作品よりも、ずっと恐ろしそうに見えます。

《魔女たちのサバト》
フランシスコ・デ・ゴヤ
1797〜1798年
油彩、カンヴァス
ラザロ・ガルディアーノ美術館、マドリード

Le Vol des sorcières
《魔女の飛翔》
1797〜1798年

新しい反啓蒙主義

君主制に対して批判的であった
ゴヤだが、画家としては国王カ
ルロス4世の宮廷画家になるこ
とによってスタートを切った。
1790年代、ヨーロッパではフラ
ンス革命が君主制を恐怖に陥
れ、戦争が起こる。啓蒙主義の
時代だった18世紀のあと、ゴヤ
は周囲に政治的な反啓蒙主義
が蔓延していることに気づき、
作品を通して告発し続けた。

恐るるに足らず

1792年、ゴヤはマルタン・ザパ
テルへの手紙の中で、「魔女や
妖精、幽霊、高慢な巨人、悪魔
など、人間以外のどんな創造物
に対したとしても、恐れ」を抱く
ことは決してないと書いた。

危機的状況

ゴヤが描くこの魔女たちは、まちがいなく美術史上最もよく知られ
ています。巨大なとんがり帽子を被った魔女たちは、空中に浮かん
で裸の男を支えており、不気味な口をもがく男の皮膚に押しつけ
ています。

宙を飛ぶ3人の魔女が男を捕らえます。3人とも上半身は裸で、それぞれ
が帽子と同じ青、ピンク、黄のスカートをはいており、三原色に対応する
生き生きとした三拍子を奏でています（ピンクは赤に白を加えて薄くした色）。
ヘビが描かれた長い帽子は、スペインとポルトガルで裁判の際に有罪を
宣告された者が被った紙製の帽子コロザに想を得たものです。この不
名誉な被り物は「信仰の行為」と呼ばれる公開処罰の儀式で被告に被
せられました。ゴヤはこの情景を幾度か描いて、宗教裁判の苛虐性を
告発していますが、この魔女たちの被り物はそれとは微妙に異なります。
コロザとは対照的な司教冠と同じように、先端がふたつに分かれている
のです。そうすることで宗教の暴虐に対する批判が強められています。

地上ではおびえたふたりの男が、この場面を見ないように身を隠してい
ます。立った男はマントで頭を覆い、もうひとりは地面に顔を伏せ、両手
で耳を押さえているようです。魔女たちは、眼を眩ませるような光を発し、
耳を聾するような音を立てているのでしょうか？　立っている男を、宗教
の反啓蒙性の象徴とする見解もあります。この男のあとからロバがつい
てきますが、ロバは愚かさと無知の象徴であり、ゴヤの作品ではおなじ
みです。

巧みな筆触と力強い構図をもつこの魅力的な作品は、ゴヤによって描か
れた6点連作の内の1点です。この連作は、開明的な知識人で新しいロ
マン主義芸術にも鋭敏に反応した文芸保護者である、オスナ公爵夫妻
の田舎の家を装飾するためのものでした。

《魔女の飛翔》
フランシスコ・デ・ゴヤ
1797〜1798年
油彩、カンヴァス
プラド美術館、マドリード

Macbeth et l'apparition
《マクベスと幽霊》
1800年頃

予言

魔女たちの女神である女王ヘカテは言う。三日月様の尻尾にたまった露を「妖術使って蒸留すれば／幻どもが湧いて出る。／その幻にたぶらかされ、／あいつは破滅へまっしぐら」。ウィリアム・シェイクスピア『マクベス』
（第3幕、第5場）

とてもイギリス的な画材

クレイグは女王陛下の水彩画家で、細密画や本の挿絵も描いた。水彩画は18世紀末にイギリスで発明され、初期ロマン主義の画家たちに重宝された。ロンドンでは1804年に、水彩画家たちの団体として王立水彩画協会が設立されている。

恐ろしい幻影

薄墨と水彩によるこの洗練されたデッサンは、18世紀末のイギリスで大いに流行していた主題であるシェイクスピア作『マクベス』の魔女たちを描いています。

場面は第4幕の冒頭部分です。マクベスは妻とともに、王の殺害とそれに続く一連の卑劣な暗殺に手をくだしました。ふたりは狂気とパラノイアの淵に沈んでいましたが、マクベスは改めて悪魔に相談することを決意します。そして自らの恐ろしい運命を知って慄くのです。

地獄の女神ヘカテの監督下にある魔女たちは、3種の幽霊の助けを借りて、慎重にマクベスに答えます。最初は頭部のみの幽霊で、その登場の仕方はディダスカリ（演技指示書）に指示されたとおりです。「雷鳴。第一の幻影、兜をかぶった首」。ウィリアム・マーシャル・クレイグはマクベスを横向きに描いています。大鍋から立ち昇る煙の中に出現した兜を被った頭部に驚くマクベスは、わずかにあとずさりします。この頭部は、幻覚に囚われたような目をマクベスに向け、口を開いて何かを言おうとしているかのようです。髪をなびかせる魔女たちは、細い腕をオーケストラの指揮者のようにあげています。この場面を取り巻くように飛ぶのは小さな魔物たちです。

クレイグのデッサンは抑制された線によって構成されており、バンデシネ（フランスのマンガ）を先取りしているかのようです。18世紀末のイギリスで、いまだ支配的だった新古典主義の美学は、古代に発想源を求めました。シェイクスピアはこの芝居を中世に設定しましたが、クレイグはマクベスに古代ローマ時代の兵士の衣装を着せています。構図と人物の身振りは、新古典主義を代表する作品でロンドンでも版画を通じて知られていた、ダヴィッドの《ホラティウス兄弟の誓い》（1784年）を思い起こさせずにはおきません。とはいえこの幻想的な主題は、生まれたばかりのロマン主義への傾倒も示しています。当時のロンドンの画家たちは、たとえばフュースリの作品の大成功を見て、これを無視することはできませんでした。

《マクベスと幽霊》
ウィリアム・マーシャル・クレイグ
1800年頃
インク・淡彩・水彩、紙
エール大学イギリス美術センター、ニュー・ヘブン

La Martyre de Salem
《セイラムの殉教者》
1869年

魔女人気

アーサー・ミラーの戯曲を、1957年にイヴ・モンタンとシモーヌ・シニョレの主演で映画化した『サレムの魔女』は、この魔女裁判の最も有名な脚色作品だ。アングロ＝サクソンの大衆文化においては、魔女が登場する作品は数えきれない（著者のお気に入りは、『チャームド ～魔女3姉妹～』や『ハリー・ポッター』など）。

セイラム魔女裁判の概要

場所：アメリカ、マサチューセッツ州セイラム

時期：1692年2月～1693年5月

最初の告発者：ベティ・パリス（9歳）、アビゲイル・ウィリアムズ（11歳）

最初の被告：サラ・グッド（物乞い）、サラ・オズボーン（社会の周縁の民）、ティテュバ（バルバドス島の先住民）

逮捕者：100人前後

死刑になった人：女14人、男6人

《セイラムの殉教者》
トーマス・サッターホワイト・ノーブル
1869年
油彩、カンヴァス
ニューヨーク歴史社会博物館＆図書館

無実の魔女

セイラムにおける魔女裁判については多くのことが語られ、芸術家たちに刺激を与えてきました。わずか数か月しか続かなかったにもかかわらず、この一件は北米において最も重大な魔女狩りとなったのです。

若く慎ましい女が野道を歩いてきます。まわりを取り囲むのは厳しい顔をした男たちです。彼らは当時ニューイングランド風と呼ばれた清教徒ファッションに身を包んでいます。手を縄で縛られているので、左の男が持っている紙は明らかに令状でしょう。彼女は逮捕され、裁判の行われる場所へと連れて行かれるところです。

1692年のことでした。セイラムで名高い裁判が開かれます。この年、マサチューセッツ州の小さな清教徒の村が、狂気に取り憑かれたかに思われました。2人の子どもが3人の女を魔女だと指し示したことがきっかけで告発が続き、投獄や吊し首など有罪判決が相次いだのです。数か月の間に100人を超える人々が魔女の嫌疑をかけられました。圧倒的大多数は女でしたが、被告席にすわった男もわずかながらいました。最初は混血や社会の周縁にいる者たちが糾弾されましたが、やがて若者も老人も、信心深い者も不信心な者も、親切な人もそうでない人も、誰も彼もが告発されたのです。

この絵が描かれた19世紀末は、セイラムの歴史を再検証することに情熱が燃やされた時代です。トマス・サッターホワイト・ノーブルは、奴隷制廃止を訴える作品を描いて、当時ニューヨークでは有名な存在でした。彼は不正義に向きあい、絵画を通して魔女狩りの犠牲者たちの名誉を回復しようとしました。若い魔女は、白く汚れのない顔で、敬虔そうな眼差しをしており、夕陽で黄金色に輝く空が彼女の光輪のように見えます。まるでキリスト教の殉教者のように描かれているのです。本作が描かれた時代のアメリカでは、もはや魔女の存在を信じる人はいませんでした。セイラムで罪を問われた人たちは、偏狭な信仰心や迷信、悪意、あるいは単純に同時代の人々の無知の犠牲者だったのです。

Le Cercle magique

《魔法陣》

1886年

《魔法陣》
ジョン・ウィリアム・ウォーターハウス
1886年
油彩、カンヴァス
テート、ロンドン

黒魔術

グツグツと煮えたぎる銅の大鍋の前に立つひとりの魔女が、地面に魔法陣を描いているところです。棒の先から火花が散って魔法陣に火がつき、カラスがその様子を見つめています。鍋の上に立ち昇る煙からは幽霊が生まれつつあるかのようです。

髪を振り乱し、長いローブを着た魔女が、ベルトに花束を挿し、右手で砂地に魔法陣を描いているところです。魔法陣の外側で、魔術と関係の深い動物、ヒキガエルとカラスがその様子を見守っています。頭蓋骨の上にとまったり、地面に降り立とうとしているカラスもいます。どうやら儀式の開始に間にあったようです。魔女は左手に黄金の鎌を持っていますが、彼女はこの鎌でヤドリギを刈ったと言われる古代ケルトのドルイド僧なのでしょうか？　背景の建築物やエジプトの巫女がするような腰の茶色いふさ飾りを見れば、そうでないことは明らかです。それでは彼女が着るローブの裾に、古代ギリシアの怪物ゴルゴンに似た人物が刺繍されているのは、なぜなのでしょう？

イギリスの画家ジョン・ウィリアム・ウォーターハウスはこの絵で、多様な知識を折衷して魅惑的な魔女を創造しました。その博識は、彼女の異国風の首飾りの、自らの尻尾を噛むヘビというモチーフに見事に集約されています。ウロボロスというこのモチーフは、エジプト、アジア、バラモン教、北欧など多くの神話に登場し、破壊と創造の果てしない繰り返しを意味すると同時に、自己完結する死と再生のサイクルを象徴するモチーフです。この円環構造は、地面の円、円形の大鍋、そしておそらく魔女によって円環するように呟かれる呪文と呼応しています。

ウォーターハウスは、ラファエル前派や多くの象徴主義者たちと、秘教主義や古代神話、オカルトなどへの関心を共有していました。象徴主義では、円を完全な形、宇宙の特別な力と考えます。この純粋な形は、ウォーターハウスのほかの作品にも見られますが、《キルケー》（1891年）では、円形の鏡の前にすわるキルケーが円形の杯を掲げているところが描かれています。これもまた魔女の物語です。

Les Sorcières autour du feu
《火を囲む魔女たち》
1891年

いたるところ火と炎

素朴で色彩豊かな場面です。4人の赤い裸の魔女たちが、湯気を立てる大鍋を囲んでしゃがんでいます。黄、白、青と色を変化させながら立ち昇る湯気の中に浮びあがるのは、小悪魔の横顔です。

左端の魔女が、ふいごを使って火を掻き立てています。口を開けて笑う右端の魔女が被っているのは、幾何学模様で装飾され、下部がヴェール状になった円錐形の帽子です。その形は、古代の異端審問の際に異端者が被った頭巾を思わせるだけでなく、悪魔の角にそっくりだったために教会から非難された中世のエナン（婦人用尖形帽）をも想起させます。この魔女は大鍋から立ち昇る湯気を見つめています。

ポール＝エリー・ランソンは魔術に関する伝統的なイコノグラフィ（図像学）の道具一式を繰り広げて見せます。裸体の魔女、尖形の帽子、煮えたぎる大鍋に加えて、2匹の猫、ヘビ、ネズミ、頭蓋骨が描き込まれ、人頭のヘビ、コウモリの翼をもつヘビ鳥という2体の怪物の子らも集会に参加しているのです。

火を囲むこの集会は、官能的な赤、輝く黄、神秘的な青という三原色が均衡を保つことで、生気ある情景となっています。ランソンはナビ派の大半の仲間たちと同じように、色彩を陰影をつけずフラットに塗り、輪郭線には曲線を多用しました。木版画によるイラストレーションとも言うべき浮世絵版画に注目しており、これが彼の発想を一新させます。自然主義にはもはや関心をもたず、絵画の表現力の大きさに着目したのです。

《火を囲む魔女たち》の2年後、ランソンは同じ主題から新しい想を得て、より暗くメランコリックな《魔女と黒猫》（1893年）を制作しました。黒と褐色による単彩技法で描かれ、頭巾を被った女が、象徴的で装飾的な数々の形態、すなわちコウモリ、黒猫、毛糸玉、逆五角星、そして水星の記号などに囲まれている作品です。

芸術における精神性

ランソンは、しばしば自然や魔術的儀礼から想を得て神秘的な世界を描き出した。物語挿絵、日本美術、象徴主義、アール・ヌーヴォーなどからの多様な影響を消化しつつ、精神性を探求することをやめなかった。周囲の友人たちはランソンのアトリエを「寺院」と呼んでいた。

ナビ派

セリュジエ、ボナール、ドニ、ランソン、ヴュイヤール、ルーセル、そしてヴァロットンといった若い画家たちは、絵画における写実的描写と縁を切ろうとした。彼らは秘教的な文章に関心を抱き、自分たちのことを「ナビ」（ヘブライ語で「予言者」の意）と呼ぶようになる。そして1890年頃に装飾的で日本的なスタイルを生み出した。

「二倍だ二倍、苦労と苦悩、
　ごうごう燃えろ、ぐつぐつ煮えろ」

ウィリアム・シェイクスピア『マクベス』（1606年、第1幕、第4場）

《火を囲む魔女たち》
ポール＝エリー・ランソン
1891年
油彩、カンヴァス
モーリス・ドニ美術館、サン＝ジェルマン＝アン＝レー

Les Sorcières
《魔女たち》
1892~1893年

魅惑的な髪

描かれているのはふたりの魔女。ひとりはそっぽを向いているが、ひとりはこちらに射抜くような眼差しを向け、眉を顰め、親指と人差し指、中指を伸ばしています。彼女は私たちに警戒するよう促しているのでしょうか？　それとも私たちに呪いをかけようとしているのでしょうか？

オーブリー・ビアズリーの描く魔女たちは官能的で危険です。私たちを見つめるこの魔女は、魔術の身振りを示しているのか、差し迫った危険を予告しているのか、その奇妙なポーズはキリストを思い起こさせずにはおきませんが、この悪魔のフィアンセの顔には不信感が浮かんでいます。彼女の背後には、ほとんど同じ外見をしたもうひとりの魔女が、尊大な様子で顎を突き出した横顔で描かれており、その左に見える髪の毛の一部が3人目の魔女の存在を暗示しています。

ビアズリーは白と黒の巨匠です。数少ない線を巧みに用いて、強い表現力をもつ図像を描きました。本作では、豊かな髪に包まれ、ツンとした顎と尖らせた唇をもつ白い顔が、黒い背景に浮かびあがります。彼女たちの波打つ豊かな髪は滝のように画面全体に広がり、催眠術にかけられたような気分にさせられるのです。ビアズリーはしばしば「早すぎたサイケデリック」と呼ばれることがあります。非常に若くして、見ればすぐに彼のものとわかる独自のグラフィックアートの世界を創造し、上品さを保ちながら、エロティシズムとデカダンの間を揺れ動きました。わずか25歳で結核によって命を絶たれたこの若きダンディーは、ラファエル前派の歴史主義と、アーツ・アンド・クラフツ運動の装飾的傾向がまだその航跡を残す時期に、作家として形成されたのです。

1892年に出版人のJ. M. デントに見出され、ビアズリーは中世の物語『アーサー王の死』の挿絵を描くことになります。トマス・マロリー卿が15世紀に書いたこの物語は、多くのイギリス人画家たちに発想源として利用されました。ビアズリーが描いたこの魔女たちは第33章に登場し、章の冒頭のヴィニエット（挿絵の入る小さな枠）を飾っています。この物語の挿絵は紛れもない成功を収め、すぐにビアズリーの最初の傑作として認められました。

頽廃主義

19世紀末の文学や美術が置かれた状況の中で、頽廃主義は当時の人々の精神状態を生々しく映し出していた。頽廃の美学は極度に洗練され、作為に満ち、憂鬱でブルジョワ的なものだった。頽廃主義の作家として最も有名なのはオスカー・ワイルドだろう。

抑制されない豊かな髪

西洋では20世紀になるまで、髪をまとめずそのままにしているのは少女か娼婦とされていた。高潔なご婦人方は、帽子を被る、あるいは髪を結うかヴェールで覆うべきとされた。
娼婦と魔女は紙一重であったことから、画家たちは、髪を波うたせたり乱したりすることで、また官能的な色彩である赤毛にすることで、彼女たちが自由な存在であることを強調した。

《魔女たち》
オーブリー・ビアズリー
『アーサー王の死』第13章の挿絵
1892~1893年
リトグラフ
個人蔵

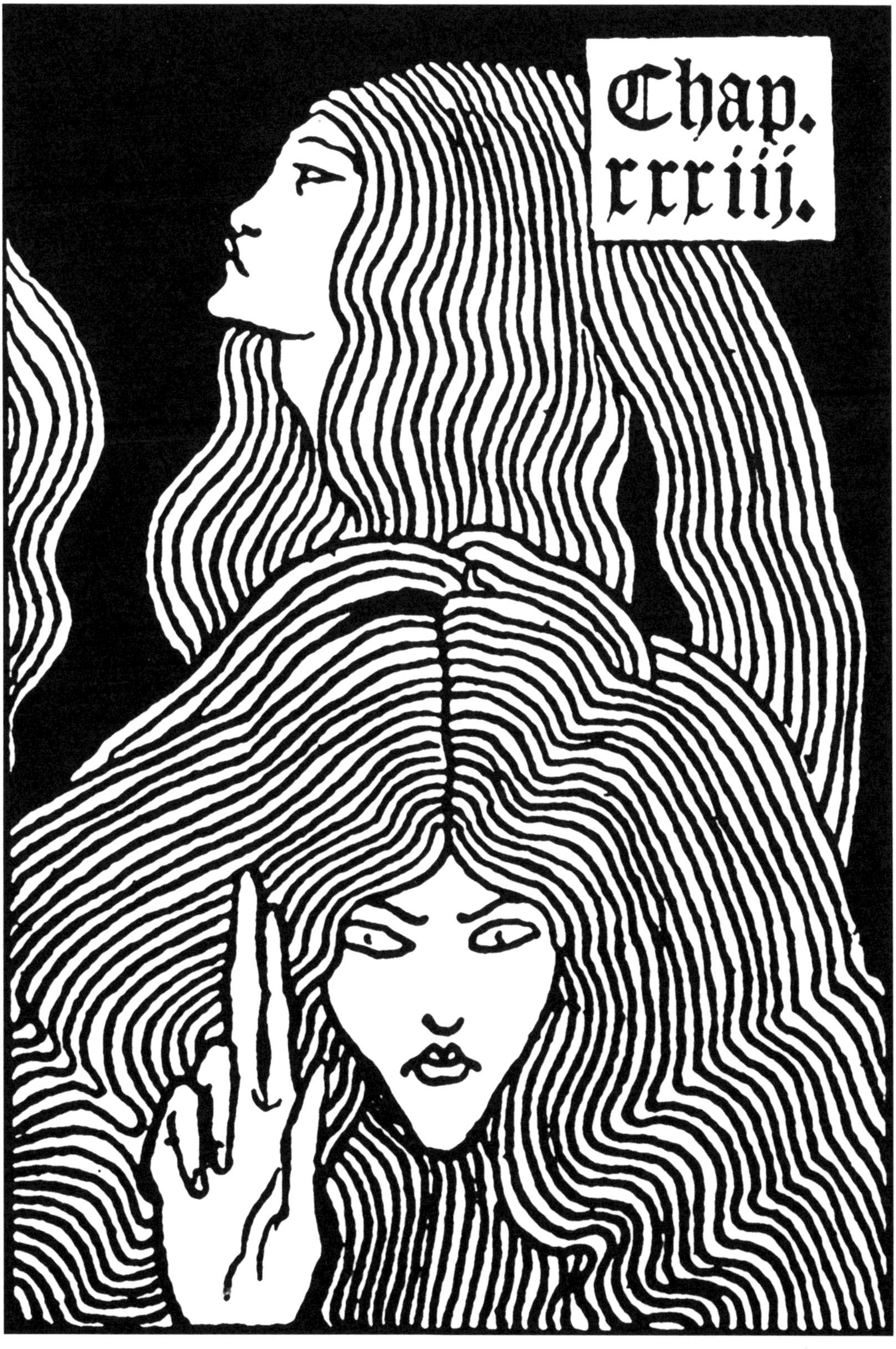
Chap.
xxxiij.

La Vitrioleuse
《硫酸魔》
1894年

近代の魔女

乱れた長い赤毛、黒い服、突き出た目、顰めた眉、そしてきつく結ばれた口。この女はいかにも魔女といった雰囲気を漂わせています。しかし彼女が持つ椀に入っているのは毒薬ではありません。

女が持つ椀は硫酸で満たされているのです。毒として用いられ、身体や顔に浴びせると溶けて恐ろしく変形させてしまう硫酸。興味深いことに、この犯罪行為は19世紀末に「黄金時代」を迎えました。ウジェーヌ・サミュエル・グラッセによるこの絵は、現実の事件に取材した作品です。この手の事件はマスコミが好んで取りあげただけでなく、版画家が作品にするなど、芸術家たちにとっても格好の発想源となりました。悲劇的な愛の物語となることもしばしばでした。捨てられた女が怒り狂い、愛人の顔に硫酸を浴びせかけるのです。

『ガゼット・デ・トリビュノー（裁判報、La Gazette des tribunaux）』の調査によれば、フランスでは1870年から1915年までに、48件の硫酸を使った犯罪がありました（うち41件が女によるもので、7件が男の仕業でした）。硫酸は銅製品を洗うのに使われており、女性でも食料品店や日用品店で簡単に手に入れることのできる「家庭用品」だったのです。こうした一連の女の犯罪は、呪いをかけ毒を調合する魔女という、あの忌まわしい存在を再登場させました。魔女は女性が本来属しているはずの家庭的な場所に敬意を払わず、社会の秩序を乱します。というのは魔女たちが家事の道具を悪用するからです。箒、大鍋、そしてなんと洗浄用の硫酸まで！

19世紀末の社会は、ネガティブな女の図像に満ちていました。グラッセのような象徴主義者たちは、有害な、あるいはほかのファム・ファタルを好んで取りあげました。芸術家たちは、同時期に神経科医のシャルコー博士がサルペトリエール病院で行った、偏執狂やヒステリーなどの医学的研究には関心を示しませんでしたが、物語や伝説に出てくる魔法使いの図像や、過去の毒殺者たちの肖像のことはよく覚えていたのです。

硫酸の破壊力

『パリの秘密』の中で、ウジェーヌ・シューは綿密に書き記している。犠牲者は「あらゆる方向に深い蒼白の傷跡がある。硫酸の腐食効果によって口唇部が膨張し、鼻の軟骨が失われ、鼻腔は醜いふたつの穴になってしまった」。

百科事典にも！

ミュシャやガレ、オルタらと同じように、優れたアール・ヌーヴォーのアーティストであったグラッセはあらゆる分野で仕事をした。版画、ポスター、装飾、建築、テキスタイル、家具、宝飾品、ステンドグラス、陶磁器……。さらに、タンポポの種を吹き飛ばす女性を表した『ラルース百科事典』(Le dictionnaire Larousse) のロゴもグラッセの仕事だ。

《硫酸魔》
ウジェーヌ・サミュエル・グラッセ
1894年
リトグラフ
国立高等美術学校、パリ

La Potion d'amour
《愛の媚薬》
1903年

女たちの仕事

とんがり帽子も箒もなく、黒猫だけを伴うこの魔女は、真剣な面持ちで媚薬を調合しているところです。これは中世の有名なカップル、トリスタンとイゾルデに出てくるあの強力な媚薬なのでしょうか？

獅子が刺繍された重たいカーテンを引いて窓を開けた秘密の部屋で、黄色の長いローブを着た魔法使いの女が、媚薬を調合しています。もしかすると彼女は棚の下に並んでいる魔法書の『アルティス・マギ（魔法術、Artis magi）』の中にレシピを見つけたのでしょうか？　遠くのテラスに抱きあう1組のカップルがいます。男は甲冑を身にまとい、女は白の長いチュニックを着ています。銀のカップのちょうど上にこの男女がいるので、赤い色の飲み物がふたりのためのものであることがわかります。騎士トリスタンと王女イゾルデのほかに、誰がワイン色の媚薬を飲まされるというのでしょうか？

1900年代のイギリスで、トリスタンとイゾルデの物語はたいへん流行していました。物語や伝説の中では、水薬や媚薬を作るのは女の仕事です。トリスタンとイゾルデに媚薬を準備したのは誰なのか物語には書かれていませんが、イゾルデの母親が娘に媚薬を飲ませるよう召使いに命じたのは大いにありうることでしょう。イヴリン・ド・モーガンは、この物語の連鎖のはじまりに魔女の存在を想定しました。王女と騎士が犯した媚薬を飲むという過ちは、彼らふたりを破滅的な情熱へと導くことになります。疫病神である黒猫が目を見開いてこちらを見ており、これからふたりに苦しみが訪れることを確信させます。

ド・モーガンはラファエル前派の画家です。ルネサンス美術に魅了され、何度か滞在したフィレンツェではボッティチェリの作品を賞賛してやみませんでした。柔らかな曲線やくっきりとした横顔、衣装の複雑なひだの表現などにその影響が見られます。ド・モーガンはまた、赤毛に赤いスカーフ、サフラン色のローブ、赤い飲み物……というように、ルネサンスの巨匠たちの輝くような色彩への好みも受け継ぎました。

ラファエル前派

ラファエル前派は1848年にイギリスで生まれた美術運動で、ラファエロの先駆である15世紀のイタリア画家たちをお手本とした。ヨーロッパでは珍しく、この運動は女性芸術家を肯定的に捉えていた。

騎士道への情熱

20世紀への転換期、イギリスのアーティストたちは中世とルネサンスに夢中になった。美術工芸品だけでなく、詩や文学にも関心をもった。ランスロット、アーサー王と妃のグィネヴィア、イゾルデらはラファエル前派やアーツ・アンド・クラフツ運動の作品に頻出する。

《愛の媚薬》
イヴリン・ド・モーガン
1903年
油彩、カンヴァス
ド・モーガン財団、ギルフォード

La Sorcière
《魔女》
1954年

魔法の言葉

この白い幾何学的形態の彫刻に、人物の姿を見出すのは困難です。単純化されているのは身体なのか、顔なのかさえわかりません。どこに魔女が隠れているのでしょう?

コンスタンティン・ブランクーシによるこの抽象彫刻は、木に彫られた原型(グッゲンハイム美術館、ニューヨーク)を、のちに石膏で鋳造したものです。クルミ材の塊から、彫刻家は垂直方向に重なる3つの幾何学的形態を彫り出しました。一番上(頭部?)は円錐形で、尖頭部は斜め上に向けられています。中央部にはふたつの円柱が横方向に並びます。あたかも短い2本の腕がわずかに下向きに広げられているかのように。この構成は3つの円柱で構成された、1917年制作の《若い女のトルソ》を思い起こさせずにはおきません。私たちが見ているのは、魔女の胸像なのでしょうか?

タイトルがなければ、この彫刻と魔女を結びつけることは不可能です。反対にタイトルを知ったあとでは、この作品はより神秘的で魔法と関係があるように見えてきます。《魔女》というタイトルは、ブランクーシから鑑賞者に向けた呼びかけです。20世紀初頭、多くのアーティストがシュルレアリストにならって、作品とタイトルの間の潜在的な差異をうまく利用しました。こうした言葉と図像の予期せぬ出会いから、混乱や疑問、考察、夢想が生まれるのです。ブランクーシがタイトルによって魔術の存在を暗示したことで、この彫刻に深みと新たなアウラ(霊気、オーラ)が与えられました。

ブランクーシはルーマニアの出身です。カルパティア山脈の麓の小さな村に生まれた彫刻家は、古代文化の純粋さや、千年の伝統をもつ木工芸を繊細な感覚で受容しました。1900年代にパリに出ると、キュビスムに関心をもちますが、運動に加わることはありませんでした。彼の作品の明らかな単純さや、作品に付随する詩情は、ピカソの遊び心や知的な感覚とはかけ離れています。トロカデロ美術館で出会った非ヨーロッパ美術に魅了されたブランクーシは、人間や動物の姿から出発して、その形態をとことんまで単純化し、最終的に記号に近い構造に到達したのです。

ババ・クロアンタ?

ブランクーシがルーマニアの田舎の出身であるということから、《魔女》をカルパティア地方の民間伝承に登場する魔女、ババ・クロアンタ(もしくはクロアンツァ)の無意識的な借用であると解釈する研究者もいる。この歯抜けの老女は、祈祷師であると同時に神託を伝える権威者であり、指導者、そして魔王だった。ブランクーシは自作について解説することはなく、観る者の想像力に任せた。

ブランクーシかく語りき

「作品の主題とフォルムを決定するのは材料とそのテクスチャー(組成)だ。作品と主題は、外部から押しつけられるのではなく、マチエール(素材)から生まれるべきなのだ」。

《魔女》
コンスタンティン・ブランクーシ
1954年
(木による原型は1916〜1924年制作)
石膏、石製の台座
ポンピドゥー・センター / 国立近代美術館、パリ

Sleeping Witch
《眠れる魔女》
2000年

黒いリンゴ

落ち葉の中から突き出た女の手が持っているのは黒いリンゴです。その手はネット状のミテーヌ（女性用の指先が出た手袋）をはめています。地面に横たわっているのは白雪姫の魔女なのでしょうか?

この写真は、アメリカ人アーティストであるキキ・スミスの連作《眠れる魔女》の1点です。造形芸術家であるキキは、森の中で自ら衣装をつけてこの場面を演じました。エレガントな魔女は、長いローブ、頭巾のついたマント、ミテーヌという全身黒ずくめの服装をしています。黄やオレンジに色づいた秋の落ち葉の上に身を横たえ、まどろむ彼女が地面に置いた木の籠から転がり出るリンゴ。実の締まった輝くばかりの、しかし黒いリンゴです。彼女が毒を盛られたことを疑う者はいません。彼女は眠り、危険は一時的に避けられました。

彫刻家で素描家でもあるキキは、写真やインスタレーションの作品も制作します。1954年生まれのこのニューヨークのアーティストは、あらゆる分野で活躍していますが、その主要なテーマは、肉体、女性、幼少期との関係です。1980年代以降、彼女は女性の社会的、文化的、政治的立場についての探究に取り組んできました。魔女の複雑な人格に関心を抱いたのは2000年以降のことです。幼い頃にグリムやペローを読んで育ったキキは、その美しさと意地の悪さや、知識に支えられた強かさゆえに、白雪姫の魔女に強く惹きつけられました。魔女は、リンゴを白雪姫という新しいイヴに差し出す単なる邪悪な存在というだけではなく、キキに誘惑やセクシュアリティ、危険の魅力、知識の衝撃などを学ばせてくれる存在でもあったのです。

フェミニズムという視点を得たことで、魔女はキキの関心の的となりました。2002年、キキは《火刑台の上に跪く女》という彫刻を制作し、15世紀から17世紀にかけてヨーロッパで行われた大規模な魔女狩りの犠牲者たちにオマージュを捧げました。誤って魔女とされた者たちは、キリスト教徒と同じように跪き、問いかけます。「何故、私は見捨てられるのか?」と。

魔女とフェミニズム

1960年代、「WITCH（フェミニストのグループ、地獄からの国際的女性テロリスト陰謀団を意味する英語の頭文字）」の登場以降、魔女は、ミソジニーや女性に対してなされた暴力に対する闘いの象徴的存在となった。ルイーズ・ブルジョワ、アネット・メサジェ、ドリス・ストウファーなど、魔女に心をとらえられた女性アーティストは多い。

つきることのない
おとぎばなしの世界

キキ、ジャン＝ミシェル・オトニエル、エヴァ・ジョスパン、マシュー・バーニー、ヴィム・デルヴォアなど、多くの同時代アーティストたちがおとぎばなしに想を得ている。おとぎばなしのもつ夢のような性格だけでなく、その象徴的な、あるいはフロイト以来の精神分析学的な解釈は、アートの世界を信じられないほど豊かにした。

《眠れる魔女》
キキ・スミス
2000年
カラー写真の上に描き込み
ホイットニー美術館、ニューヨーク

魔女を物語る意外な作品19

La Visite chez la magicienne
《演劇の一場面：呪術師への訪問》
紀元前2世紀

女の陰謀

ポンペイのキケロ荘の床に設置されたこのモザイク画は、陰謀をめぐらす女たちの会合を表しています。若いふたりの女は、顔をしかめた老女が明かす驚愕の事実に、何かを叫んでいるように見えます。この老女は呪術師なのでしょうか？

3人の女たちは、獅子の脚がついたテーブルのまわりにすわっています。画面右端から若い召使いが出てくるところです。顔をしかめた老女が手にするのは銀の杯。彼女の前には1本の小枝と金属製の道具がふたつ置かれています。こうした道具と植物があるので、老女は秘薬を調合したと考えられます。媚薬でしょうか？　仮にそうだとして、老女が告げたのは、この媚薬に関する何らかの未来でしょうか？　若いふたりの女の驚いた顔から判断すると、老女が語ったのは、安心できるような内容とはほど遠いものだったようです。

哲学的、合理主義的思索を生み出したギリシア・ローマ文明は、同時に占いや呪術の大きな影響も受けていました。呪術的な行為は当たり前のように行われていましたが、それは合法であることもあれば、罪に問われることもありました。多くの者が呪術に関わり、さまざまな用語、多彩な技術、豊富な知識が用いられたようです。このモザイク画は、3人のいる場所が段になっていることに加え、色のついた壁面や老女の仮面などから、ギリシアの喜劇作家メナンドルの戯曲『昼食を楽しむ女たち（Les Femmes au déjeuner）』と関係があると考えられます。メナンドルの戯曲は断片的にしか残っていませんが、ローマ世界ではよく知られており、ラテン語にも翻訳されました。女たちはエタイール（ギリシア時代の高級娼婦）で左から順にピティアス、プランゴン、老女はフィライニスという名前です。彼女たちは愛について語っているところなのでしょうか？

本作のテーマについてはさまざまな可能性が考えられます。性的なものなのか、売春がらみのものなのか、あるいは女の呪術に関することなのか正確にはわかっていません。さらに娯楽や喜劇、カリカチュアなどの側面がありうることも忘れてはならないでしょう。

珍しい署名

モザイク画に署名があるのは珍しい。本作の作者はディオスコリド・デ・サモスというギリシア人のモザイク画家。サモス島の出身で、紀元前2世紀の前半に活躍した。ポンペイのキケロ荘にある本作《呪術師への訪問》と《シベレを崇拝する旅音楽師》の2作品だけが知られている。

ギリシア語からラテン語まで

多くの博識なローマ人たちはよきギリシア語学者であり、ギリシア語の読み書きができた。彼らは文学や詩、演劇などギリシア芸術全般を愛しており、ポンペイのキケロ荘の住人と同じように、完璧なギリシアびいきだった。

《演劇の一場面：呪術師への訪問》
ディオスコリド・デ・サモス
紀元前2世紀
モザイク
国立考古学博物館、ナポリ

Sorcière
《魔女》
1640年頃

奇妙な被り物

やつれた表情で視線を下に向ける老女。首にはロープがかけられています。明らかに絞首刑になる直前の姿です。頭上の奇妙な被り物は、老女がどんな罪で告発されたのかを物語っています。魔術を使った罪です。

魔術とは、当時の認識では、悪魔崇拝と不可分なものでした。本作の魔女が被る円筒形の帽子には、手にフォークを持つ角を生やした悪魔が表されており、その前で跪く男を威嚇しています。羽の生えた人物、おそらく天使が、この悪魔の行為をとめようとしているようです。15世紀から17世紀にかけて、男でも女でも魔術の大罪を犯したと告発された者たちは、死刑宣告の際にこの種の変わった帽子を被せられることがよくありました。屈辱的でグロテスクなこうした帽子は、告発された者たちが崇拝しているとされた悪魔の姿で装飾されていたのです。

紙にインクで描かれたこのデッサンは、絵画の下絵ではありません。画家の個人的な研究から生み出された作品のようです。ジョヴァンニ・フランチェスコ・バルビエリ、通称グエルチーノは、何よりもその宗教画によって知られていますが、デッサンも数多く残しています。彼は楽しみのためにグロテスクな人物や戯画を描きましたが、その中には老いた魔女の姿を思わせるものが含まれていました。

画家は魔術を信ずることへの皮肉な、あるいは批判的な視点をもっていたのでしょうか？　いずれにしてもこの主題は霊感源となり、ふだん注文を受けて描いていた神話画や宗教画の中の人物よりも愚かな人物を描くきっかけになりました。グエルチーノの描く魔女たちは、どれも同じように粗野な顔立ちをしており、ほとんど猿のようです。しばしばコウモリや空を舞う小悪魔が一緒に描かれます。しかし本作の魔女は痩せており、帽子を被り、首に縄が巻かれている点などがほかの作品とは異なっています。

悪魔の帽子

魔術を使ったことで告発された者たちが被る、悪魔の図像で装飾された帽子には、円筒形、円錐形、司教帽形など、さまざまな形のものがある。当時の想像力によって魔女に結びつけられた黒い円錐形の帽子の起源のひとつが、中世のユダヤ人が被っていた帽子であるのは確かなことだろう。

数が少ない イタリアの魔女

17世紀、ヨーロッパ北部ではプロテスタントとカトリックの軋轢に乗じて、魔女狩りが最盛期を迎えていた。ところが、スペインやイタリアなど南ヨーロッパの国々は、いくつかの事例はあるものの、総じて激しい魔女狩りからは免れていた。

《魔女》
ジョヴァンニ・フランチェスコ・バルビエリ、
通称グエルチーノ
1640年頃
インク、紙
ロイヤル・コレクション、イギリス

Scènes avec sorcières
《魔女のいる情景》
1645〜1649年頃

デュマの書いたローザ

アレクサンドル・デュマは、ローザの生涯と作品に魅せられ、1813年に出版された『コリコロ』の中で、ローザのことを勇気があって誠実で、血気にはやる若い画家だと書いている。「そこで彼はカンヴァスを広げ、ベルトにつけた道具入れから絵筆を取り出し、[中略] テーブルの上に灯るランプの光を頼りに、素早くこの美しい肖像画を即興的に仕上げた。今日その作品は、ナポリのステュディ美術館第一室の入口脇に展示されている」。

ローザの魔女を描いた そのほかの作品

1635〜1654年	《魔女たちのサバト》
1640〜1649年	《魔女》
1646年	《すわる魔女》
1646年	《呪文を唱える魔女》
1668年	《エンドルの女魔術師のもとでサウルの前に現れたサミュエルの影》

「打ちのめされた者たちのアカデミー」の画家

髪を振り乱す裸の老いた魔女、骨だけの鳥、巨大なトカゲ、ぬらぬらしたカエル。このバロック時代の4連作は、まるで怪奇的なバンデシネから抜け出てきたかのようです。

これら4点のトンドと呼ばれる円形の作品は、2点の昼間（朝と昼）と2点の夜間（夕と夜）で構成されています。髪を振り乱したり、暴力的だったり、神秘的だったりする魔女たちが、すべての作品に描かれています。《朝》に描かれた、服を着て頭にターバンを巻いた若い魔女以外は、みな老いた魔女です。昼間の世界では血に塗れた両生類が生贄に捧げられ、夕方になると3人の魔女たちが大鍋で毒薬を調合します。夜の場面は最も謎めいており、魔女とは思えない騎士たちが登場します。ひとりの老人が、顔をしかめた化け物たちの一団に棒を振りあげていますが、彼は魔術使いなのか、邪悪な力を制御しようとしているのか、はっきりしません。

サルヴァトール・ローザが描く魔女たちは、箒、大鍋、魔術書、頭蓋骨といったおなじみの小道具に囲まれています。独特なのは魔女たちのまわりにいる、ハイブリッドで怪奇的な魔物たちです。この魔物たちは、骸骨が生き生きと動き出し、小さな動物が巨大化する、ヒエロニムス・ボスの魔物たちの仰々しさを想起させずにはおきません。

ローザは、バロック時代にあって、約束事にとらわれない驚くほど優れた知識人のひとりでした。画家であり、詩人でもあったローザは、北ヨーロッパで魔女狩りの嵐がまだ吹き荒れていた時代の魔術に夢中になりました。彼は1640年代のフィレンツェで、アカデミア・デイ・ペルコッシ（打ちのめされた者たちのアカデミー）を創設します。ここに知識人たちを集め、詩の朗誦、哲学や倫理学についての議論を行い、同時代の文化についての会話を交わしました。魔術が彼らの関心の中心にあったことはまちがいありません。ローザが1645年に作った風刺的な抒情詩につけられた題は「魔女」でした。

p.65：年老いた魔女が、コウモリとフクロウが合体したような異様なハイブリッドの鳥にまたがっている。

朝 昼

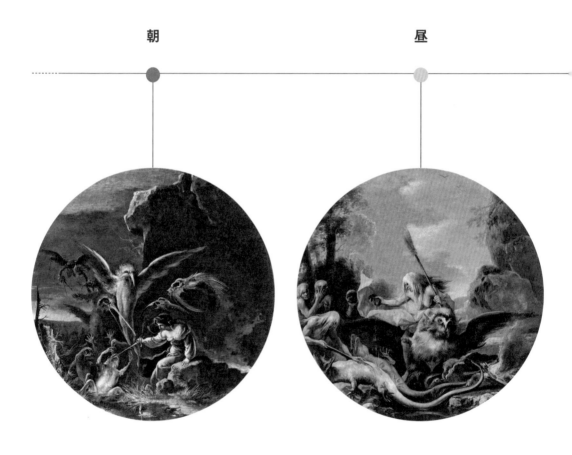

《魔女のいる情景》
サルヴァトール・ローザ
1645～1649年頃
油彩、カンヴァス
クリーヴランド美術館、クリーヴランド

「詩は何か巨大なもの、野蛮なもの、
野生的なものを欲する」

ドニ・ディドロ『劇的な詩について』（1758年）

夕　　　　　　　　夜

Sorcière à cornes
《角の生えた魔女》
18世紀

謎めいた肖像

黒い服を着て、髪を角の形に結った、この美しいブロンドの女は誰なのでしょう？ 魔女、それとも仮装した女でしょうか？ 後者だとしたら喜劇役者、歌手、あるいは舞踏会に出るための仮装なのでしょうか？

いくつかの要素が、この若い女は魔女だと思わせるように仕向けています。尖った角の形をした髪型は、前髪を持ちあげて逆毛を立てるように膨らませた「タペ」という髪型の極端なヴァージョンです。こうした角は、中世以来、牡山羊と悪魔を象徴するものでした。彼女が着ている型破りな服は黒ですが、この色は18世紀にはあまり好まれず、徐々に喪と魔女の色となっていきました。ネックレスやイヤリング、真珠などの宝飾品は、誘惑者でもあるという魔女の性格を強調しています。欺瞞の親方である悪魔は、女たちに誘惑の能力を与えるものとされていました。

デコルテ（胸元が開いたドレス）のロカイユ様式のデザインは、本作の制作された時期が18世紀中頃であることを暗示しています。魔女狩りがおわり、魔女が描かれることも少なくなっていた時代で、その姿は物語や迷信、仮装舞踏会などで見られるくらいでした。この時代には演劇や仮面舞踏会、仮装舞踏会が大いに好まれましたが、そうした場では、どんな思いつきも許された上、権威を転覆させるような装いも可能だったのです。このモデルは、おそらく魔女の仮装をしているのでしょう。

モデルが誰かは謎のままです。舞踏会の装いをしたフランソワーズ＝マリー・ド・ブルボン、通称マドモワゼル・ド・ブロワでしょうか？ ルイ14世とマダム・ド・モンテスパンの嫡出子である彼女は、性格が悪いことで知られており、結婚した夫はマダム・ルシファー（魔王）と呼んでいました。この名は母親のマダム・ド・モンテスパンが、毒殺騒動も絡んだ黒ミサ事件で疑われていたことを考えると、一層皮肉な命名であったと言えます。ほかにもこの女を17世紀ドイツのあの数学者の母親であるカタリーナ・ケプラーとする説もあります。彼女は魔術を使ったとして告発されましたが、1615年に著名な息子のおかげでかろうじて火刑を免れました。とはいえ裁判の時にカタリーナがすでに70歳であったことを思えば、本作のモデルとするには無理があるかもしれません。

終止符

フランスでは、ルイ14世の寵姫であったマダム・ド・モンテスパンにまで捜査が及んだ毒殺事件のあと、1682年に魔術の問題を国家が規制しはじめた。それまではたったひとりの告発や民間の噂だけでも裁判を起こすのに十分だったのに対し、王の勅令が出され、魔術を使った証拠が必要とされるようになる。しかし、そんなものはひとつも見つけられず、魔女はいなくなった。

啓蒙の世紀（18世紀）における魔術の定義

ディドロとダランベールによる有名な百科全書（1751〜1772年）は、魔術を次のように定義している。「不可思議で、恥ずべき、滑稽な行為。愚かにも迷信によって、悪魔の仕業とされる」。

《角の生えた魔女》
作者不詳
18世紀
油彩、カンヴァス
個人蔵

Les Trois Sorcières de Macbeth
《マクベスの3人の魔女》
1775年

女性アーティスト

アンヌは彫刻家だったが、同時に演劇の作家、制作者であり、役者もこなした。また、ジョルジアーナ・カヴェンディッシュは、1779年に匿名で出版された書簡体小説『シルフ(The Sylph)』の作者だろうと推定されている。彼女は詩人でもあった。

とんがり帽子!

本作に描かれているのは、魔女の黒いとんがり帽子の最も古い表現のひとつ。この種の帽子が一般に知られるようになったのは19世紀になってからの、イギリスや特にアメリカの大衆文化においてのことだ。この帽子の起源は多様で、はっきりとはしていない。中世のユダヤ人男性の帽子や、異端審問所において異端者に被せた帽子、あるいはヨーロッパのプロテスタントの帽子、アメリカの清教徒たちの帽子などが起源の候補にあげられている。

博識な魔女たち

魔女の格好をした上流階級の女3人が、大鍋の周囲で立ち働いているところです。この珍しい集団肖像画は、シェイクスピアの演劇と、また18世紀末の進歩主義的な女性像と関連があります。

この3人の貴族女性の美しい溌剌とした表情と洗練された物腰は、彼女たちが参考にした演劇作品、シェイクスピアの『マクベス』の世界とは対照的です。私たちが目にしているのは、不吉で色艶の衰えた髭のある姉妹とはかけ離れた、若い品のよい女たち。本作より少しあとの1780年代に流行するスタイルに結った長い髪の上に、先の尖った黒い小さな帽子を優雅に載せています。

左の魔女はメルブルン子爵領を所有していたエリザベス・ランプ。当時、特に政治の世界に最も大きな影響力をもっていた女性のひとりでした。ホイッグ党の党員であったペニストン・ランプと結婚し、彫刻家のアンヌ・セイモア・ダメールの友人でもありました。画面右端で黒い服を着て、杖を持っているのがそのアンヌ。彼女はローブの上に、黄道十二宮が刺繍された軽いヴェールをまとい、頭には縁の広い黒い帽子を載せています。この出立ちは、子ども向けの本やハロウィーンのお祭から抜け出てきたようで、私たちにはなじみ深いものですが、18世紀末にはまだ滅多に描かれることはない姿でした。3人目の真ん中にいる白い服を着た女は、デヴォンシャー公爵夫人のジョルジアーナ・カヴェンディッシュ。美貌と博識で知られ、ロンドンの彼女のサロンには文学者や政治家などが集いました。ホイッグ党に近い有能な活動家でもあった彼女は、1770年代にエリザベス、アンヌの友人となったのです。

白チョークを巧みに用いたこの作品に、彼女たちが自分たちをこのような姿で表現させたのは、3人の友情とともに、政治的策謀をきっかけに出会ったこと、さらに自分たちの学識や文学に対する情熱などを暗示するためだったことは確かです。本作を描いた肖像画家は、ジョシュア・レイノルズの共作者であり、当時人気のあったダニエル・ガードナーでした。

《マクベスの3人の魔女》
ダニエル・ガードナー
1775年
グァッシュ・チョーク、カンヴァス
ナショナル・ポートレート・ギャラリー、ロンドン

Le fantôme de Samuel apparaît à Saül

《サウルに現れたサムエルの亡霊》

1800年頃

そして聖書では……

聖書の中で魔術や占いは非難されている。「魔法使いの女は、これを生かしておいてはならない」(『出エジプト記』22章18節)。エンドルの村の魔女は、聖書には一度しか出てこない(『サムエル記(上)』18章7〜25節)。彼女は女占い師や女予言者とも呼ばれる。

エンドルの魔女を描いた作品

1526年	ヤコブ・コルネリス・オスツァーネン《サウルとエンドルの魔女》
1668年	サルヴァトール・ローザ《エンドルの女占い師のもとでサウルに現れたサムエルの幻影》
1864年	ヨハン・ハインリヒ・フュースリ《サウルとエンドルの魔女のための習作》
1777年	ベンジャミン・ウェスト《サウルとエンドルの魔女》
1777年	ギュスターヴ・ドレ《サウルとエンドルの魔女》

恐れ慄く魔女

サムエルの白い亡霊が現れると、サウル王は恐怖のあまりあとずさりします。亡霊を出現させた怪異な女は髪を逆立ててしゃがみ、おびえた様子をしています。エンドルの魔女です。

ヘブライ語聖書によれば、エンドルの魔女は口寄せ、つまり死者と繋がっています。イギリスの画家で詩人でもあったウィリアム・ブレイクが興味をひかれたのは、『サムエル記』の中のあまり知られていない箇所でした。サウル王は自らの運命を知りたかったにもかかわらず、神が呼びかけに応えなかったので、予言を聞くために魔女の住む村に出かけます。ふたりの従者を伴ったサウル王は、予言者サムエルの亡霊に尋ねることを望みます。最初、魔女はこれを拒否しました。というのもサウル王自身が、領地内であらゆる種類の予言を行うことを禁じていたからです。しかしサウル王が強く望んだため、魔女はこれに従いました。サムエルの亡霊が現れた時、魔女は依頼者がサウル王であることにはじめて気づき、恐怖のあまり叫び出します。そこでサウル王は彼女が告発されることはないと約束しました。

ブレイクはこの短いエピソードを、感情を掻き立てるような強烈な色使いで、活力あふれる場面に仕上げました。亡霊の両側に、幻惑されたサウル王と恐れ慄いて屈服する魔女が対比的に描かれています。人物の表情豊かな目や口、そしてとりわけ手が強調されています。聖書によれば、サムエルは地面から「のぼって」きます。その人は「上着をまとって」いる老人でした。彼の指は、自分が現れ出た地面を指しています。サウル王と魔女の手は、対照的に大きく広げられ空に向かってあげられています。

ブレイクは常に美しさよりも表現の強さを優先しました。彼は同時代のイギリス人アーティストの中で最も反体制的だったことはまちがいありません。フュースリに比肩されることも多いブレイクは、過激で革新的、情熱的かつ攻撃的な性格の持ち主でした。彼は自然の観察や風景画が大嫌いなだけでなく、異教のギリシア・ローマ神話を引用することも避けました。それよりも断然、文学や科学から湧き出た神秘的なテーマや、エンドルの魔女のようなあまり知られていない聖書の主題に取り組むことの方を好んだのです。

「わたしのために、口寄せの女を捜し出しなさい。
　わたしは行ってその女に尋ねよう」

『サムエル記（上）』（18章、7節）

《サウルに現れたサムエルの亡霊》
ウィリアム・ブレイク
1800年頃
クレヨン・インク・水彩、紙
ワシントン・ナショナル・ギャラリー、ワシントンD.C.

Sabbat de sorcières

《魔女たちのサバト》

1831～1833年

悪魔的な悲劇

ウジェーヌ・ドラクロワは25歳の時に、ドイツの文豪ゲーテが書いた『ファウスト』と出会い、すっかり魅了されます。この「発見」はドラクロワに大きな刺激を与えました。

本作のサバトの情景は、ゲーテが1808年に出版した戯曲『ファウスト』の第1幕で語られます。ドラクロワは、テクストに忠実にヴァルプルギスの夜の情景を描いています。この祭はヨーロッパ各国で冬のおわりにひっそりと祝われる、聖ヴァルプルグにまつわる祭ですが、その異教的な性格と、古来のサバトに結びつけられたことで、教会から禁じられていました。

前景にはふたりの主要な登場人物、ファウストと人間の姿をした悪魔であるメフィストフェレスがいます。ドラクロワはこのふたりを、岩の上の黒い影として素早く描きました。ここをくだったところで繰り広げられる、サバトのめくるめくような情景を見るために彼らはやってきたのです。「山をめぐって一足飛びだ。／おまえら地べたを這いあるけ。／見わたすかぎりの大草原に／うようよ、がやがや、魔女の群れ」。荒涼とした風景の中に浮かびあがるのはゴシック建築の廃墟です。暗い山々と不穏な空は、日暮れ時に見知らぬ土地で道を失ってしまったかのような不安な感覚を掻き立てます。この場所はブロッケン山の上でしょう。このドイツの山は、伝説によれば魔女たちがサバトを開く場所でした。

ドラクロワはこのエスキースを素早い筆致で描きました。展覧会への出品を意図したものではなく、絵筆の動きはより自由です。筆跡は画面上で踊り、魔女たちが地獄で渦巻くように動く様子と共鳴しています。1830年頃、ドラクロワが『ファウスト』に関心を抱いてから数年がすぎた時期のものです。題材はきわめてロマン主義的で、画家は愛、魔法、死、恐れ、感情の高まりなどを画面に巧みに盛り込んでいます。ドラクロワは1826年にはすでに『ファウスト』のフランス語版のために、17点のリトグラフを制作していますが、これは彼を夢中にさせたプロジェクトで、その時にうねるような線と暗色どうしのコントラストに磨きをかけました。

ファウスト

満たされない学者が悪魔に魂を売り渡すというファウストの伝説は、16世紀のドイツで生まれた。ゲーテはこれを2部の悲劇として構成し、1808年に『ファウスト第1部』、1832年に『ファウスト第2部』を出版した。大成功を収めたこの作品は、ドイツ文学における最も重要な作品のひとつと見なされている。

ペンから筆まで

ドラクロワは画家だったが、文学に同じように夢中になった。没後に出版されて有名になる『日記（ドラクロワの日記）』の著者であり、文学者や詩人たちと親しかったドラクロワは、特にジョルジュ・サンドやヴィクトル・ユゴーとよく会っていた。ダンテ、シェイクスピア、バイロン卿、ゲーテなどを好み、『ファウスト第1部』はフランス語初訳の出版時に読んだ。その後、ロンドン滞在中には芝居も観ている。

《魔女たちのサバト》
ウジェーヌ・ドラクロワ
1831～1833年
油彩、カンヴァス
バーゼル美術館、バーゼル

「私はここで、思いつく限り最高に悪魔的な
『ファウスト』を観た」

ウジェーヌ・ドラクロワ「ジャン＝バティスト・ピエレへの手紙」（1825年）

𝕿𝖆𝖐𝖎𝖞𝖆𝖘𝖍𝖆 𝖑𝖆 𝖘𝖔𝖗𝖈𝖎è𝖗𝖊
《瀧夜叉姫と骸骨の亡霊》
1844年頃

カワイイ悪魔

箒や呪文、黒装束、猫などととも
に表現される西欧の魔女は、20
世紀の第二次世界大戦後にな
るまで、日本文化に本当の意味
で溶け込むことはなかった。し
かしその後、魔女たちは子ども
のような姿や甘ったるい装いを
して、日本のマンガやポップカ
ルチャーの中に浸透していった。

国芳

葛飾北斎の同時代人である国
芳(1797〜1861年)は、浮世絵版
画の巨匠のひとりで、英雄譚や
武者絵を得意とし、力強い人物
像とスペクタクル感満載の設定
を、大胆な構図にまとめあげる
ことに長けていた。国芳は、ユー
モラスな戯画や、反体制的な
姿勢でも知られている。

恐るべき姫

巨大な骸骨がよしずをかき分け、ふたりの男の上に立ちはだかり
ます。この骸骨は、若い女、実は恐るべき「魔女」である瀧夜叉姫
の唱える呪文に操られているのです。

瀧夜叉姫は歴史上の人物です。父親は関東の豪族であった平将門。
彼は10世紀に京都の朝廷、朱雀天皇の権力に対抗して反乱を起こしま
した。将門が討伐され、謀叛(むほん)の試みが潰えたあとも、娘は廃墟となった
屋敷に住み続けます。

日本の民間伝承によれば、彼女は超自然的な存在となり、魔術の使い手
として、父親の死の復讐を誓います。名は瀧夜叉姫、すなわち「滝の悪
魔のプリンセス」です。歌川国芳の手になるこの作品は、たいへん有名
な浮世絵のひとつ。振り袖の着物を着た瀧夜叉姫は、呪詛の言葉が書
かれた巻物を持っています。武者とその仲間を追い返すために呼び出し
た巨大な骸骨が現れたことを確認しているようです。この武者は、朝廷
から瀧夜叉姫の悪の力を挫(くじ)くべく派遣された大宅中将光圀(通称太郎)
で、最後には勝利を得ることになります。

瀧夜叉姫は浮世絵版画の定番の主題でした。物語の一場面としてではな
く単独で描かれる場合には、巨大な蝦蟇(がま)がいることで見分けられます。
手には剣を持ち、松明を口にくわえています。

日本の魔女は、民間伝承や文学作品に登場します。妖怪の一団や、国
芳の巨大な骸骨もそうですが、悪意のある幽霊や亡霊、悪魔とも紙一重
の存在と言えます。浮世絵版画で好んで取りあげられるもうひとりの魔
女は山姥(やまうば)(山の魔女)です。醜悪な老女で、山奥に隠れて暮らしており、人
並外れた怪力をもつ金太郎の母親であるという伝承もあります。

p.77:廃墟となった相馬の城で、
瀧夜叉姫は巻物に書かれた呪文を唱える。

《瀧夜叉姫と骸骨の亡霊》
歌川国芳
1844年頃
木版画、紙
ヴィクトリア・アンド・アルバート美術館、ロンドン

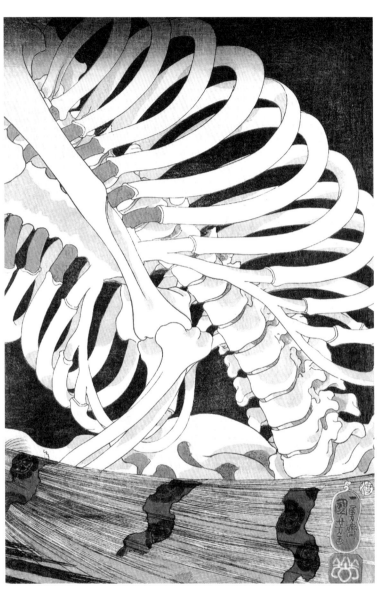

Sorcières se rendant au sabbat
《サバトに向かう魔女たち》
1878年

ポンピエ芸術

19世紀後半のアカデミスムの画家たちの作品に見られる、筆跡を残さない滑らかなスタイルは、大衆からは人気があったがやがて評価されなくなり、「ポンピエ芸術」という侮蔑的な渾名をつけられた。作品内容が仰々しいことをフランス語で「ポンピュー」と言うことから、あるいは彼らがよく描いた古代ローマの剣闘士が被るヘルメットが、消防士（フランス語でポンピエ）のものとそっくりだったからとも言われる。いずれにしても、そのブルジョワ的なエロティシズムや表現の堅苦しさが批判されたのだった。

条件つきのエロティシズム

19世紀には裸婦を描く口実は数々あったが、描くに際しては厳密な決まりが存在した。とりわけ現実の白人女性の裸体を描くのは御法度だった。許容されたのは、神々（ヴィーナスなど）や東方の女たち（ハレムの女奴隷オダリスク、買い手たちに検分される女奴隷など）、そして魔術に関係する女たち（箒にまたがった魔女）だけだった。

エロスとタナトス

10人ほどの若い裸の魔女たちが、青白いほのかな月明かりの中を飛んでいます。19世紀末、こうした若い魔女のモチーフは、エロティックな神秘的絵画の愛好家にとって最高の題材でした。

この魔女たちの飛翔の場面では、中世とルネサンス以来使われてきた数多くの決まりごとが踏襲されています。魔女たちは箒や牡山羊にまたがって飛んでいます。牡山羊は中世以降、ことにその尖った角ゆえに、悪魔のシンボルと見なされてきました。さらに魔女たちは、あられもない姿勢で飛んでいます。どの魔女もいずれ劣らず猥褻そのものです。

画面下部の中ほどにいる老女だけが例外で、鉤鼻とイボで醜いその顔は、おとぎばなしに出てくる老魔女の典型です。その後ろから死のイメージそのものである黄色い目をした骸骨が、彼女を捕まえようと追いかけてきますが、彼女の方は目の前の若い魔女、つまり失われた自らの若さにすがりつこうと必死になっています。この若い魔女は、性的に自由な女という「世紀末」の幻想を体現する存在です。ヴィーナスのように美しく、乳白色の肌をほんのりと赤らめ、性的恍惚のさなかであるかのように身を反らしています。黒猫（性的象徴）、コウモリ（夜の象徴）、骸骨の鳥と空飛ぶトカゲ（死の象徴、p.88）といったおなじみの動物たちが、空を舞いながらつき従います。

ルイス・リカルド・ファレーロはスペインの画家で、ヨーロッパ各地で活躍しました。グラナダで生まれ、パリで20年以上暮らしたあと、ロンドンに移り住み、そこで大きな成功を収めます。飛翔する魔女たちを描いたこの絵が制作されたのはパリ時代のこと。ファレーロの芸術は、オリエンタリスム（東方趣味）とエロティシズムが加味された、時代遅れのロマン主義の最後の輝きの中で育まれました。ただファレーロは、より象徴主義的で頽廃的な傾向をもっていたという点で、同時代に活躍したブーグローやカバネル、ジェロームらとは異なっています。魔術などの秘教的主題は彼の作品に繰り返し現れますが、それはスペイン出身であることや、ゴヤの作品の記憶と関係があるのかもしれません。

《サバトに向かう魔女たち》
ルイス・リカルド・ファレーロ
1878年
油彩、カンヴァス
個人蔵

Jeanne d'Arc
《ジャンヌ・ダルク》
1879年

魔女ジャンヌ！

イギリスでは長い間、ジャンヌは魔女であると見なされてきた。その証拠に、シェイクスピアは戯曲『ヘンリー6世』の中で、ジャンヌを官能的な魔女かつ大胆不敵な戦士として表現している。イギリスの絵画や版画では、その後この戯曲を参照して、同様のジャンヌ像が描かれた。

ジャンヌ・ダルクの生涯

1412年	ロレーヌ地方ドンレミで生まれる
1429年	イギリスからオルレアンを奪還
1430年	ブルゴーニュ公国によって捕縛され、イギリスに売り渡される
1431年	有罪となり、生きたまま火刑に処される
19世紀	宗教的、政治的な争点をめぐって関心が高まる
1870年	普仏戦争後、国家的な英雄となる
1920年	列聖される

思いがけない出来事

百年戦争のさなか、13歳のジャンヌ・ダルクは天の啓示を受けます。1431年に行われた自身の裁判の際にジャンヌが語ったところによれば、この時、フランスのロレーヌ地方ドンレミにある両親の家の庭で、彼女は自らの定めを知ったのでした。

まだ幼いジャンヌは天の声を聞きました。その声は彼女に、信心深くあること、フランス王国を侵略者から解放し、シャルル7世を玉座に就かせることを命じます。ずっとあとにジャンヌは、これらの声が聖カタリナと聖マルガリータ、大天使聖ミカエルのものだったと言っています。ほかでもないこの声こそが、逮捕と裁判の際に、ジャンヌに魔女の容疑をかけることになりました。異端にして魔女というのが、彼女に相対したボーヴェの司教ピエール・コションがくだした判決です。イギリスのために働く彼は1431年5月30日、ルーアンでジャンヌを火刑に処します。もちろんジャンヌは嫌疑を否認しました。

ジュール・バスティアン＝ルパージュは、若きロレーヌの娘が聞いたという声に関心を抱き、彼女の背後に3人の聖人を描きました。彼らは家の壁と木々の緑に溶け込んでいるように見えます。金色の光輪を持つ2人の聖女が白い亡霊のようなローブの中で目立たない様子をしている一方で、騎士の甲冑をつけた聖ミカエルは一歩前に出て、ジャンヌに剣を差し出しています。この超自然的な出現とは対照的に、バスティアン＝ルパージュはジャンヌを素朴な写実主義で描きました。彼女は糸巻き仕事を放り出し、草の中に倒れたスツールもそのままにして、天の声をよく聞き取ろうとしています。その目に何も映さず、頬を紅潮させた農婦姿のジャンヌは、観る者の心を動かさずにはおきません。

あるがままの粗野な田舎の情景を専門としたバスティアン＝ルパージュは、自然主義絵画の代表的な画家のひとりです。エミール・ゾラによって「ミレーとクールベの孫」と位置づけられたこの画家は、ジャンヌ・ダルクと同じロレーヌの出身でした。この作品は1880年のサロンに出品されています。フランスが普仏戦争に敗れてアルザス＝ロレーヌ地方を失ってから10年後のことでした。若きヒロインのジャンヌ・ダルクは、フランスにとって重要な国家の象徴となったのです。

「……ロレーヌ地方の小さな農家の庭にいる
素朴な農婦という、現実のジャンヌ・ダルクを
描こうとした画家は、これまでいなかった」

エミール・ゾラ「サロンにおける自然主義」
『ル・ヴォルテール（*Le Voltaire*）』誌（1880年）

《ジャンヌ・ダルク》
ジュール・バスティアン＝ルパージュ
1879年
油彩、カンヴァス
メトロポリタン美術館、ニューヨーク

Préparation pour le sabbat
《サバトの準備》
1896年

悪魔の性行動

中世以降、サバトは規範も統制もない性行為の場と考えられていた。「世紀末」の想像力の中では、魔女は淑女とは真逆の存在だった。もちろん貞淑な娘ではさらさらなく、また性行為が結婚による出産に結びつくものとしてのみ認められる、家庭のよき母親でもなかった。

美しい尻

美しい尻（フランス語でcallipyge）は、古代ギリシアではkallipugosと書いた。文字どおり「美しい尻」という意味だった。「美しい尻のヴィーナス」（ローマ名は「美しい尻のアフロディーテ」）は古代彫像のひとつの型で、愛と美の女神が衣服の一端を持ちあげて肩に掛け、その尻を鑑賞できるようにしたものだ。ロップスのインスピレーションの源となったことはまちがいない。

《小さな魔女》または《サバトの準備》
フェリシアン・ロップス
1896年
クレヨン・色クレヨン・グァッシュ、紙
フェリシアン・ロップス美術館、ナミュール

美しい尻の魔女

美しい尻のヴィーナス、あるいは娼婦と言ってもおかしくないようなこの魔女は、悪魔との出会いに備えて化粧に余念がありません。化粧台の前にすわり、臀部をむき出しにして着飾っています。

魔女は居室で鏡を見ながら鼻の頭に白粉をはたいています。鏡に映った自分の姿に気を取られ、床に落ちた本のことは忘れているようです。その本には『大アルベール（Albert le Grand）』と書かれています。アルベールは魔術師もしくは錬金術師と考えられている中世のドミニコ会修道士でした。テーブルの上に洗顔用の水差しと洗面器が置かれていることから、彼女は起きたところなのでしょう。髪はもちろん赤毛で、その上に黒い帯のある帽子を被り、長靴下をはき、尻が丸見えになる黒いケープを着ています。足元のカラスがこちらを睨む眼差しは、まるで威嚇するかのようです。魔女はやや仰角で捉えられており、屋根裏部屋に続く階段をのぼる途中、床すれすれの高さから中の状況を見てしまった、というような感覚にとらわれます。

化粧する娼婦は、ベルギーの悪魔の画家フェリシアン・ロップスがとりわけ好んだ主題です。化粧する魔女、箒に乗って飛ぶ魔女、あるいは悪魔と交わる魔女などは、エロティックな、というよりむしろポルノグラフィックなこの作家のお得意の主題でした。象徴主義やデカダン派に近い傾向をもつロップスは、ボードレールやユイスマンスの世界に、精神医学に、そして悪魔主義に熱中しました。

ロップスの作品の多くにはファム・ファタルが登場します。去勢コンプレックスを引き起こす邪悪な誘惑者である彼女は、哀れな窃視者である男どもを、操り人形よろしく、意のままに操るのです。この絵でロップスは、ふしだらな性的欲望の権化としての魔女像をユーモアたっぷりに描き出しました。魔女がサバトに向かうのは、単に悪魔を崇拝するためだけでなく、その肛門に口づけをし、大饗宴の最後に悪魔と交わるためなのです。

La Sorcière
《魔女》
1897年

死の爬虫類

ヘビとトカゲは、古くは死と結びつけられていた。それはこれらの爬虫類が冷血であること、またその生育環境が常に地面と接していることなどによる。地上の世界（生者）と地下の世界（死者）とを象徴的に繋ぐ存在でもある。美術においてはヘビよりもずっと描かれることの少ないトカゲだが、16世紀にはすでにデューラーの版画で死と関連づけて表現されている。

パステル小史

15世紀	フランスもしくはイタリアで棒状の色パステルが発明される
16世紀	レオナルド・ダ・ヴィンチが使用する
18世紀	黄金時代（カリエラ、ラ・トゥール、シャルダン、ペロノー）
19世紀	ドガ、トゥールーズ＝ロートレック、レヴィ＝デュルメール、そしてルドンが再生させる

《魔女》
リュシアン・レヴィ＝デュルメール
1897年
パステル、紙
オルセー美術館、パリ

魔女の夢

大きなマントに身を包んだ本作の魔女の穏やかな表情は、魔女を描いたほかの作品ではまず見られません。リュシアン・レヴィ＝デュルメールの靄の中に現れたかのように柔らかな魔女は、メランコリックな夢に私たちを誘います。

目を閉じて思索に沈んでいるこの魔女が手にしているのは、フラスコと小枝です。その小枝に巻きつく小さなヘビ、肩にしがみつく忠実な黒猫、マントの上を這いまわるトカゲなど、周囲には魔女におなじみの動物たち。森の外れの夕暮れ時、コウモリが魔女の頭の上を飛んでいます。その翼は木々の葉とほとんど見分けがつきません。画面右下に、大きな青い目をしたフクロウの亡霊のような姿がかろうじて認められます。

色彩はかなり抑制されています。灰色と黒、月明かりで白く輝く空、鮮やかな青い色をした超現実的な動物たち。ヘビとトカゲはまるで燐光を発しているかのようです。頭巾のハイライトとして入れられた紺青が、これに呼応し、猛禽類のフクロウと猫の、黄と青の混じった色合いの目がギロリと光ります。画家は影と光の、また単純であることと超自然的であることの間の微妙な戯れを巧みに演出しているのです。

レヴィ＝デュルメールは同世代のパステル画家たちの中で、まちがいなく最も輝かしい存在です。彼は数多くの女たちの、儚げで神秘的な肖像画を描きました。この魔女の絵は、《沈黙》（1895年）や《メダルの女》（1896年）など一連の謎めいた人物像に属する作品です。これら沈黙のミューズたちは、ヴェールでその一部が隠されており、顔は正確に表現されていますが、衣服や身体のほかの部分はより素早いタッチで描かれています。レヴィ＝デュルメールが得意とした顔の部分の柔らかい輪郭線の表現は、画家がレオナルド・ダ・ヴィンチのスフマート技法を賞賛していたことを思い起こさせます。この擦筆技法は画面に象徴主義的な雰囲気を作り出します。主観的で謎めいていて、同時に死を想起させ、夢幻的です。

Baba Yaga
《バーバ・ヤーガ》
1900年

バーバ・ヤーガ

バーバ・ヤーガは、数多くの物語に登場し、多面的な性格をもつ神秘的な人物。いくつかの物語では、バーバ・ヤーガは誘拐者、人食い、闘士という3つの顔をもつ。さらに森の女主人であり、野生動物や死者の王国とも結びついていた。

魔女が登場する物語

『うるわしのワシリーサ』：
　　バーバ・ヤーガ
『白雪姫』：王妃と継母
『ヘンゼルとグレーテル』：
　　お菓子の家の魔女
『眠れる森の美女』：カラボス
『人魚姫』：海の魔女

《バーバ・ヤーガ》
イヴァン・ビリービン
『うるわしのワシリーサ』の挿絵
1900年
リトグラフ
個人蔵

昔あるところに……

広大な白樺の森の奥深く、巨大な鶏の足の上に建つ掘立て小屋に、バーバ・ヤーガが住んでいました。彼女はスラブでは最もよく知られた魔女で、最も恐れられる存在です。

ロシアや東欧の昔話には、子どもを食べる忌まわしいバーバ・ヤーガがしばしば登場します。すぐに彼女だとわかるのは、その外見がいつも同じように記述されるからです。曲がった背中に、白く長い髪と鉤鼻。臼に乗り、杵で操作して宙に浮かぶことができます。ほかの魔女たち同様、家庭用品が魔術の道具に転用されるのです。バーバ・ヤーガの臼は、植物由来の薬を捏ねるためではなく、人間の運命を砕くためのもの。また箒は彼女が人々の間を移動した痕跡を掃き消すために使われます。髪を風になびかせ、杵を用いて、恐ろしいバーバ・ヤーガは全速力で移動するのです。

イヴァン・ビリービンは、物語の挿絵を仕事の領域のひとつとしていました。バーバ・ヤーガは、19世紀末に民俗学者アレクサンドル・アナファシーエフによって採集された有名な物語『うるわしのワシリーサ』の中に登場します。孤児の美しい娘が、恐ろしい人食い魔女（バーバ・ヤーガ）と対峙する話です。彼女はこの通過儀礼を乗り越えることで成長し、意地悪な継母から自由になります。

はっきりとした輪郭線とフラットに塗り込めた色面で構成されるビリービンのイラストレーションは、ヨーロッパのグラフィックアートや日本の浮世絵版画などと並んで、スラブの民衆版画ルボークからも影響を受けました。本作の簡潔な画面は、写実的で、自然な、そして素晴らしい細部で満たされています。継ぎのあたった衣服や、バーバ・ヤーガの髭を生やした顎や風になびく髪、左耳のリングなどの細心な表現が示すとおりです。松や白樺などの樹木、苔むす地面、鮮やかな赤色の毒キノコなどの描写からは、ロシアの森に対するビリービンの愛情を見て取ることができます。

Tilla Durieux en Circé
《キルケーに扮したティラ・デュリュー》
1913年

《キルケーに扮したティラ・デュリュー》
フランツ・フォン・シュトゥック
1913年
油彩、板
旧国立美術館、ベルリン

はまり役

美しく危険なキルケーは、オデュッセウスに毒薬の満たされた杯を差し出します。ホメロスの『オデュッセイア』に登場するこの魅惑的な魔術師は、時代が進むにつれて絵画の主題や演劇の役柄に好んで取りあげられるようになっていきます。

キルケーの横顔が漆黒の背景から浮かびあがります。その肌はいっそう白く、髪はより赤く、ローブはさらに輝きを増すようです。色彩は適当に選ばれているのではありません。この画家が選んだ赤、黄(金)、青は、よく知られた三原色です。キルケーのカールした髪と半開きの口の赤は、この上なく魅力的で危険な女の色で、中世以来、魔女の髪の色も赤とされてきました。紺青のドレスには金糸が縫い込まれています。その金色は、指輪やイヤリング、そして獅子の装飾のある金杯と響きあいます。この女魔術師は、画面の外にいて描かれていないオデュッセウスに飲み物を差し出しながら、その顔を凝視しています。この男を従順な動物に変身させたいと願う一方で、欲望も感じているのです。

フランツ・フォン・シュトゥックによるこの絵は、ギリシア神話(p.16)を元にしていますが、それだけではありません。同時に著名な女優、ティラ・デュリューの肖像画でもあるのです。気の強いこの女性は、ベル・エポック時代の舞台女優であり、無声映画にも出演しました。ベルリンでは特に映画監督のフリッツ・ラングとよく仕事をしています。彼女の2度目の夫は美術商でパトロンのポール・カッシーラーでした。その仲介で彼女は画家たちと知りあい、ルノワールのためにモデルになったりもしています。1912年、ミュンヘンの劇場でキルケーを演じた時、シュトゥックは彼女を描くためにアトリエに招きました。画家のために彼女は芝居の衣装を着て、黒いドレープの前に立ちます。このドラマティックな演出は、女性像を描く際にシュトゥックが繰り返し選んだものでした。画家はこの場面を写真に撮ったので、ポーズを取っている時間はさほど長くはありませんでした。それから彼は写真だけを頼りに、キルケーに扮したティラの肖像画を複数制作したのです。その写真も現存しています。

「有毒な根からしぼった汁液をここへふりそそぎ、
　聞いたこともないような言葉をつらねた呪文を
　九度ずつ三回も、魔力をもったその口でとなえたのだ」

オウィディウス『変身物語』（第14巻、56〜58節）

La Sorcière au peigne
《櫛をつけた魔女》
1922年

《櫛をつけた魔女》
パウル・クレー
1922年
リトグラフ
ポンピドゥー・センター／国立近代美術館、パリ

家庭人

クレーとその妻リリィの息子フェリクスはピアニストで、1907年に生まれた。まだ仕事が軌道に乗っていなかったため、幼い息子の面倒を見るのはクレーの役目だった。彼は息子の発達や進歩、病気などすべてを記録した。この息子と過ごした濃密な日々は、まちがいなく彼の作品に影響を及ぼしている。

魔女

クレーは神秘的な記号や空想上のハイブリッドな生き物を好み、自然と森を崇拝し、死について思索をめぐらした。《森の中の魔女》（1938年）など何度も描いた魔女像の中で、クレーは同様のテーマをさまざまな形で展開したが、こうした魔女像は、彼の晩期の画業において最も印象的な作品群の一部をなしている。

真面目とユーモアの間

半分おかしく半分不気味な《櫛をつけた魔女》は、異色の魔女と言えます。先端の尖った小さな足でしっかりと立つこの小さな人物は、眉を顰めて丸い目で私たちを冷ややかに観察しています。

パウル・クレーが描く、ひだ飾りのついたドレスを着たこの魔女は、頭に櫛を垂直に立てています。それはまるで小さな王冠のようで、櫛の流行を面白がる画家の眼差しが感じられます。髪を飾るこの小さな装飾品は、1920年代初頭に大流行していたのです。たとえばスペイン櫛は、女性の髪に小さな扇のように立てられました。

この魔女は単純な線で描かれていますが、暗い部分を表すために線影が、また櫛やイヤリング、魔女の目を表すために小さな丸が使われています。この作品は、クロッキー、カリカチュア、子どもの絵などの境界線上を揺れ動いています。素朴で幾何学的な小さい胴体の上に載っているのは、不釣りあいに大きく表情豊かな頭部です。髪とショールは巻紙のようですが、これは1920年代のクレーの、特にデッサンにおいてよく見られるモチーフです。両手はふたつの黒い矢印で、執拗に地面を指差しており、この人物に、意外にも権威主義的で威嚇するような一面を与えています。矢印もクレーが好んだモチーフでした。幾何学的な記号は表現力が強いため、クレーはその力を作品に活かそうとしたのです。彼が好んだのは記号がもつ単純さと視覚的な効果でした。十字や矢印、星、月などの記号はクレーに、子どもの絵や洞窟の壁に描かれた先史時代の絵、エジプトのヒエログリフなどを思い起こさせたのです。

1920年代のクレーは、辛辣なユーモアをこめた人物像の一覧を作りあげました。《死のユーモア》（1919年）、《天才の幻影》（1922年）、《飲み物を混ぜる魔女》（1922年）……クレーの作品はすべてふたつの世界の間を揺れ動いています。真面目とユーモア、聖と俗、難解な芸術と大衆的な芸術、残酷で幻滅させられるような大人の世界と遊びと驚きに満ちた子どもの世界の間を。

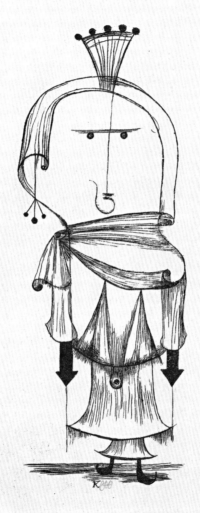

1921/171   Die Hexe mit dem Kamm

meinem lieben Freund Landauer
Weihnachten 24

Boulla, sorcière de Bengamissa
《ベンガミサ族の魔女、ブーロ》
1925～1926年

文化の移植

17世紀、ヨーロッパ人たちはアフリカ沿岸を侵略し、奴隷貿易をはじめた。ちょうど魔女狩りが最盛期だった時代のことだ。占いや霊魂との交信といった、目に見えないものの力と結びつく未知のアフリカ人たちの振る舞いを見て、ヨーロッパ人たちはそれらを魔術と同等のものと考えたのだった。

呪物（フェティッシュ）

「フェティシズム」という語は、18世紀にシャルル・ド・ブロスによって発明された。「フェティッシュ」は、「呪物」「護符」という意味だが、その形態は多様で、角や袋、オブジェなどがあり、お守り、あるいは占いに用いられる。それらはヨーロッパ人が「呪物師」と呼んだ人々によって扱われるが、その実態は非常に豊かで複雑だ。

《ベンガミサ族の魔女、ブーロ》
ギョーム・ラプラーニュ
1925～1926年
石膏に彩色
個人蔵

フランス―アフリカ

彩色された石膏で作られたこの彫刻は、アフリカ人の作品ではありません。作者のギョーム・ラプラーニュはフランス人です。エジプトで育ちましたが、ベンガミサの魔女に会ったことはありません。ですがそれなら、この像は何が元になっているのでしょうか？

彫刻家はこの像を、1925年にベルギー領コンゴで撮られた一枚の写真を見て制作しました。その写真には、植物の長い繊維で作った服を着て、杖をつく年老いた女が写っていたのです。彼女は腕、手首、踝にブレスレットをつけ、彫刻と同じ首飾りをして、頭には背の高い帽子をかぶっていました。この帽子は、おそらく彼女の地位や知識の重要性を示すものでしょう。彼女は霊魂に関係する祭儀を行う人なのか、それとも呪物を操る人なのでしょうか？

写真を撮影したのは、1925年に自動車でアフリカ横断旅行をしたアンドレ・シトロエンです。この踏査は自社ブランドの宣伝のためでしたが、同時に政治的、文化的、科学的にも大きな意義をもっていました。この旅で6000枚を超える写真が撮影され、数百の品々が収集されたのです。帰国後にはルーヴル美術館で展覧会が開催されました。この魔女像はその展覧会に、武具や舟の櫂、焼き物などと並んで展示され、向かいの壁には、この横断旅行に同行した公式画家のイアコヴレフが現地で描いたデッサンが掛けられていました。

ラプラーニュは、さまざまな男の魔術師や魔女たちを撮影したこれらの写真から、複数点の胸像を制作しました。ここでは「魔女」と言っていますが、この単語を使う時には注意が必要です。なぜならこれは西欧からもたらされた概念だからです。

アフリカの祭儀や踊り、さらに呪物や護符、お守りなど、日常的でもあり聖なるものでもあるオブジェは、長い間ヨーロッパ人から誤解されてきました。植民地の支配層は、占い師や祈祷師、あるいは呪物を操る者を「魔女」と決めつけました。ベナンやコンゴでは、占い師や祈祷師は未来を言い当てるだけでなく、過去、現在、未来の流れを説明し、同時に医師、弁護士、セラピスト、精神療法者でもあります。彼らは箒に乗って飛んだり、大鍋を煮えたぎらせる魔女とは、まったく別の存在なのです。

Sorcière et épouvantail dans la neige
《雪の中の魔女と案山子》
1930〜1932年

冬の脅威

厚塗りの素早い筆致で、エルンスト・ルートヴィヒ・キルヒナーは冬の奇妙な光景を描きました。半ば抽象的な雪景色から、強い調子の色彩が浮かびあがります。不気味な魔女が案山子に近づいていきますが、その姿は、死を象徴する草刈り人のようです。

ほとんど黒に近い濃紺色で描かれた女のシルエットの上で、赤いタッチが輝いています。攻撃的な配色に目が釘づけになりますが、キルヒナーは画面を3つの色で構成しました。暴力と血の色である赤、それに対するのは白と青。後者の2色は冷たさと死の色です。エプロン、首飾り、髪、顔、旗は、明るい景色と対照的です。風になびく赤い隊旗が、女の顔の背後に伸びています。一部が旗竿に引っかかり、カーブする様子は鎌にそっくりです。鎌は死のアレゴリーで、それが魔女の像と混じりあっています。死は、キルヒナーに取り憑き、自殺するまでに彼を追い込みました。キルヒナーが自らの人生に終止符を打ったのは1938年、ナチスが彼の作品の一部を破壊した1年後のことです。

苦しみ、孤独の中にいたこのドイツの画家は、スイスの山中で暮らしていました。自然は彼の内に深い感動を呼び起こします。若い頃、キルヒナーはドレスデンとベルリンで活動した前衛芸術運動グループのブリュッケ（橋）に参加していました。1900年代、この若い表現主義の画家たちのグループは、慣習的なものを革新し、揺さぶります。キルヒナーと仲間たちは、色彩を輝かせ、近代生活を批判し、自然との新たな調和を探し求めたのです。彼らは子どもの絵、中世ドイツ美術、非欧州の文化、民衆版画などに夢中になりました。

1930年代になってキルヒナーは、あまりに辛い死の季節である冬を魔女のせいにするという、ドイツの伝説と図像を思い出したのでしょうか？それとも魔女は彼自身の苦悩のアレゴリーなのでしょうか？　顔もなく手もない、ただスカーフを風にはためかせているだけで役立たずの小さな案山子に、キルヒナーは脅威を感じているのでしょうか？

『魔女の踊り』

雪の中の魔女は、マリー・ヴィグマンの『魔女の踊り』と関係があるのだろうか？　キルヒナーはドイツ表現主義を代表するこの舞踊家の仕事を、ことに1914年のこの踊りのソロ公演のことをよく知っていた。そして彼は1920年代から1930年代にかけて、マリーの公演『踊るマリー・ヴィグマン』や『死の舞踏』などに想を得て、複数の作品を制作している。

表現主義

表現主義とは、1905年頃にはじまるドイツのきわめて前衛的な芸術運動。アーティストたちは表現力と主観性を前面に押し出し、観る者の感情を揺さぶろうとした。絵画の分野ではふたつのグループが特筆される。攻撃的かつ悲観主義的なブリュッケと、より抒情的で理想主義的なブラウエ・ライター（青騎士）だ。

《雪の中の魔女と案山子》
エルンスト・ルートヴィヒ・キルヒナー
1930〜1932年
油彩、カンヴァス
カローラとギュンター・ケトラー＝エルトゥル・コレクション、ベルン

La Sorcière
《魔女》
1969年

ミロとリトグラフ

1939年、ミロはノルマンディーのヴァランジュヴィルにいた。そこで彼はジョルジュ・ブラックの影響でリトグラフをはじめる。石灰石の上に描いた図像を印刷するこの技術に、ミロはすぐになじんだ。戦後はマーグ画廊の所属となり、1981年までリトグラフ印刷のムルロー工房で制作を行った。そこでは同時期に、マティス、ピカソ、シャガール、ジャコメッティ、カルダー、デュビュッフェらも仕事をしていた。

ミロの記号

ミロは、点、球、円、星、月、鳥、あるいは人物などを、繰り返し描いた。「巨大な空に、三日月や太陽が浮かんでいるのを見ると圧倒される。私の作品では、空虚で広大な空間に、とても小さな形が描かれる」と語っている。

記号の魔術

ジョアン・ミロの作品には、魔術が通奏低音のように流れています。黒い線と鮮烈な色彩による巧みな構成によって、画家は抽象すれすれにまで単純化した魔女の、詩的なヴィジョンを提示して見せました。

ミロの描く黒い線がカンヴァスの上で踊っています。それはあたかも、ミロの旧友である彫刻家カルダーが作るモビールのようです。画中の円は魔女の頭部で、黒く太い垂直線が頭部を縦断し、画面の一番下まで到達します。腕と胴体は、ただの弛んだ「U」の字です。太い垂直線は、脊柱のように人体を支えています。画面のあちこちで、黒と赤、平塗りの部分と記号（升目、星、円、点、小さな鉤形など）が、組みあわされます。

垂直線、水平線、曲線などの骨格をなす線が、まるで表意文字のような形をしている一方で、数々の小さな記号は、この「表意文字」に引っかかっているかのようです。1960年代のおわりに、ミロは日本の書に魅了されました。彼は、墨を含んだ筆を扱う書家の身振りの的確さとしなやかさを好んだのです。ミロが日本を再発見したのは1967年秋のことで、1969年末に再訪し、これが最後になりました。日本文化はミロにとってひとつの啓示であり、彼が単純化を探究する際のあと押しとなったのです。ミロは、シュルレアリスムの時代を経たのち、形態を単純化し、色数を抑制していきます。黒、赤、緑、黄、そして青がお気に入りの色でした。

《偉大な魔女》（1968年）、《偉大な世話役》（1969年）、《白い魔術》（1981年）などミロの晩年のリトグラフにおいては、ほとんど抽象化されていますが、魔術と関係のある人物が複数登場します。星や宇宙の力の強大さと同じように、夢や日常的な魔術の力にミロは魅了されていました。1968年に彼はインタビューに答えてこう述べます。「私は、漠然とした導く力を信じている。占星術を信じている。［中略］私の多くの作品の中に、守護惑星を連想させる球や円を見つけることができるだろう」。

《魔女》
ジョアン・ミロ
1969年
リトグラフ
個人蔵

La Bruja
《魔女》
1979〜1981年

艶やかな侵略

魔女の箒が壁に掛かっています。藁の代わりに木の竿から垂れさがった黒い綿糸が何メートルも何キロメートルも伸びていきます。最後には作品が展示されている建物全体を覆いつくすのです。

20世紀末、魔女を想起させるには一本の黒いシンプルな箒で十分でした。ブラジルのアーティスト、シルド・メイレレスの箒は、規格外のインスタレーション作品の起点です。箒の下部に取りつけてある金属の格子に引っ掛けられた綿の黒糸は、展示場所に応じてその都度アーティストが決めた流れに沿って、空間に広がっていきます。美術館や展示会場次第で、《魔女》の黒糸は廊下にあふれ、階段をくだり、時には建物から出て行くことも。観客を困惑させ、近くに掛けられているほかの作家の作品すれすれにまで迫ります。そもそも衛生と清潔のための道具であったはずの箒が、ここでは無秩序を撒き散らすものになってしまっているのです。物語や伝説の中の魔女と同じように、メイレレスの《魔女》も、普段は秩序正しい空間にカオスをもたらします。

1948年に生まれた現代アーティストのメイレレスは、リオ・デ・ジャネイロで活動しています。《魔女》を制作したのは、1980年代になろうかという頃のことです。この時期、ブラジルは軍事独裁政権下で、10年以上にわたって個人の自由が抑圧された状態にありました。世界中で展示されたメイレレスの詩的でコンセプチュアルな作品は、不正義と圧政に対する抵抗を視覚的な形態として提示するものだったのです。彼の作品は濃密でヴォリュームがあります。作り出された世界は没入感があり、鑑賞者をさまよわせ、自分が生きている世界について自問するよう仕向けます。魅惑的かつ夢幻的で不気味な《魔女》は、仮借なく拡散される悪の脅威を表しているのでしょうか?

コンセプチュアルアート

アメリカとヨーロッパのアーティストたちは1960年代以降、芸術作品の本質は物質の加工にではなく、アイデアやコンセプトにあるという確信を少しずつもつようになっていった。コンセプチュアルアートは、組織化された運動でもなければ、ある時期に特有の現象でもなかった。むしろ現代アート全体を貫く底流のようなものだ。

三次元の魔女の系譜

1916年	コンスタンティン・ブランクーシ《魔女》
1979〜1981年	シルド・メイレレス《魔女》
2002年	キキ・スミス《火あぶりにされる跪く女》
2010年	ルイーズ・ブルジョワ《スティールセネット・メモリアル》
2011年	アネット・メサジェ《伝説不在》

《魔女》
シルド・メイレレス
1979〜1981年
木の箒、木綿糸、金属
ポンピドゥー・センター / 国立近代美術館、パリ

作品一覧

p. 87
《小さな魔女》または《サバトの準備》
フェリシアン・ロップス
1896年
クレヨン・色クレヨン・グァッシュ、紙
17.5×12cm
フェリシアン・ロップス美術館、ナミュール

p. 89
《魔女》
リュシアン・レヴィ＝デュルメール
1897年
パステル、紙
61×46cm
オルセー美術館、パリ

p. 91
《バーバ・ヤーガ》
イヴァン・ビリービン
『うるわしのワシリーサ』の挿絵
1900年
リトグラフ
33×26cm
個人蔵

p. 93、58〜59（部分）
《キルケーに扮したティラ・デュリュー》
フランツ・フォン・シュトゥック
1913年
油彩、板
60×68cm
旧国立美術館、ベルリン

p. 95
《櫛をつけた魔女》
パウル・クレー
1922年
リトグラフ
50×32.5cm
ポンピドゥー・センター／国立近代美術館、パリ

p. 97
《ベンガミサ族の魔女、ブーロ》
ギョーム・ラプラーニュ
1925〜1926年
石膏に彩色
74×57cm
個人蔵

p. 99
《雪の中の魔女と案山子》
エルンスト・ルートヴィヒ・キルヒナー
1930〜1932年
油彩、カンヴァス
70×60cm
カローラとギュンター・ケトラー＝エルトゥル・コレクション、ベルン

p. 101
《魔女》
ジョアン・ミロ
1969年
リトグラフ
99×59.5cm
個人蔵

p. 103〜105（部分）
《魔女》
シルド・メイレレス
1979〜1981年
木の箒、木綿糸、金属
ポンピドゥー・センター／国立近代美術館、パリ

クレジット

引用文献

以下の作品から、本文中、一部引用及び参照させていただきました。

『ゲーテ全集 第二巻 ファウスト』ゲーテ 著、大山定一 翻訳、1960年、人文書院

『聖書』1980年（1955年改訳）、日本聖書協会

『シェイクスピア全集3 マクベス』シェイクスピア 著、松岡和子 翻訳、1996年、ちくま文庫

『世界古典文学全集 第8巻』「ペルシア人」アイスキュロス 著、湯井荘四郎 翻訳、1964年、筑摩書房

『変身物語（岩波文庫）』オウィディウス 著、中村善也 翻訳、1984年、岩波書店

著者

アリックス・パレ

ルーヴル美術学校卒。17〜20世紀西洋絵画の専門家。8年間、ルーヴル美術館とヴェルサイユ宮殿で勤務。美術史のワークショップや講演を行うほか、パリで開催される大規模展覧会に関わる。主な著書に『悪魔絵の物語』（弊社）など。

翻訳者・監修者

冨田 章

1958年生まれ。慶應義塾大学文学部卒。成城大学大学院文学研究科修了。財団法人そごう美術館、サントリーミュージアム［天保山］を経て、現在、東京ステーションギャラリー館長。これまで「ロートレック展 パリ、美しい時代を生きて」「エミール・クラウスとベルギーの印象派」「シャガール—三次元の世界」「メスキータ」などの展覧会に関わる。著書に『ビアズリー 怪奇幻想名品集』『ゴッホ作品集』（いずれも東京美術）、『偽装された自画像—画家はこうして嘘をつく』（祥伝社）、『代表作でわかる印象派BOX』（講談社）、訳書に『ゴーガン』（西村書店）など多数。

魔女絵の物語
魔女をめぐる図像の歴史と変遷

2023年8月25日　初版第1刷発行

著者	アリックス・パレ（©Alix Paré）
発行者	西川正伸
発行所	株式会社 グラフィック社
	〒102-0073 東京都千代田区九段北1-14-17
	Phone：03-3263-4318　Fax：03-3263-5297
	http://www.graphicsha.co.jp
	振替：00130-6-114345

制作スタッフ

翻訳・監修	冨田 章
組版・カバーデザイン	安藤紫野
校正	新宮尚子
編集	鶴留聖代
制作・進行	本木貴子（グラフィック社）

印刷・製本	図書印刷株式会社

Sorcière - De Circé aux sorcières de Salem: Un mythe à (re)découvrir en 40 notices

© Hachette Livre (Editions du Chêne), 2020
Japanese translation rights arranged with Hachette Livre, Paris through Tuttle-Mori Agency, Inc., Tokyo

This Japanese edition was produced and published in Japan in 2023 by Graphic-sha Publishing Co., Ltd. 1-14-17 Kudankita, Chiyodaku, Tokyo 102-0073, Japan

Japanese translation © 2023 Graphic-sha Publishing Co., Ltd.

ISBN 978-4-7661-3769-9 C0076
Printed in Japan